# グリーン イノベーション コンパス

# Green Innovation Compass

## 現場視点で始める 製造業のカーボンニュートラル実践

株式会社ITID
江口正芳

JAPAN BUSINESS PUBLISHING

# グリーンイノベーションコンパス

## 〜現場視点で始める 製造業のカーボンニュートラル実践〜



## はじめに

2020年10月、菅義偉前首相が所信表明演説の中で「2050年カーボンニュートラル達成」の目標を表明して2年半が過ぎました。当時は、「カーボンニュートラルは一過性のブームに過ぎない」と主張する論者も見られましたが、その間、カーボンニュートラルを宣言する企業は続々と増えており、もはやカーボンニュートラルは多くの企業の共通課題となっています。

そして、製造業は日本の産業を大きく担っている一方、製品の生産に伴い、多くの温室効果ガスを排出しています。さらに、メーカーから販売された製品の使用や輸送によって排出される温室効果ガスも含めれば、日本の温室効果ガスの大部分は製造業起因で排出されており、カーボンニュートラル実現の主役は製造業であると言っても過言ではありません。

製造業がカーボンニュートラルを実現するには、イノベーションしかありません。特に環境問題を解決するためのイノベーションはグリーンイノベーションと呼ばれます。イノベーションにはラディカルイノベーションもあれば、インクリメンタルイノベーションもあります。

ラディカルイノベーションとは、破壊的イノベーションとも呼ばれ、従来の延長にない全く新しい技術革新のことです。インクリメンタルイノベーションとは、漸進的イノベーションとも呼ばれ、従来技術の細かな改良を積み重ねることによる技術革新のことです。

カーボンニュートラルを実現するためのラディカルイノベーションを起こすのはもちろんのこと、インクリメンタルイノベーションを起こすことさえ苦労している企業が多いのが現状です。それは、カーボンニュートラルがもっぱら経営レベルの課題として捉えられがちで、オペレーションレベルの課題として落とし込まれていないことが一因として考えられます。すなわち、経営層と現場層が分断され、企画、開発、生産などの現場層のアクションプランに落とし込まれていないのです。

しかし、グリーンイノベーションを起こすのは、現場以外にありません。

本書は、製造業がグリーンイノベーションを起こすための指南書です。昨今、脱炭素経営、カーボンニュートラル経営などと題された書籍は多数出版されていますが、企画、開発、生産などの現場視点の書籍はまだ多くありません。また、社会の動向などを論じる書籍は多数ありますが、実践方法が著された書籍はほとんどありません。これが本書執筆の動機です。

筆者はこれまで多くの製造業の脱炭素経営や現場の取り組みを支援し、講演やセミナーも多く行ってきました。多数の支援を通じて、課題は各社異なるものの、いくつかの課題の共通性を見出すことができました。そして、これまで構築してきた考え方やノウハウを整理し、課題解決のためのソリューションとして、「グリーンイノベーションコンパス」を生み出しました。これは企業がカーボンニュートラル実現に取り組むための羅針盤となるフレームワークです。

「グリーンイノベーションコンパス」を用いることで、経営レベル、現場レベルそれぞれにおいて、カーボンニュートラルに取り組む上での課題をあぶり出し、適切な対処を行えるようになります。

また、カーボンニュートラルに取り組む上では、経営層、環境部門、開発現場、生産現場などが足並みを揃えることが必要不可欠ですので、本書ではそのような方々を対象にしています。

## 本書の構成

第1章では、カーボンニュートラルに取り組む必要性について解説しています。温暖化による地球への影響、世の中の動向を鑑みて、製造業がカーボンニュートラルに取り組むメリットや、取り組まないデメリットを記載しています。すでに取り組む必要性を理解している読者は、第2章から読んでいただいて構いません。

第2章では、「グリーンイノベーションコンパス」の概要を解説しています。製造業がグリーンイノベーションを生み出し、カーボンニュートラルを実現するためのフレームワークである「グリーンイノベーションコンパス」を用いて解決できる課題や、基本的な考え方を記載しています。

第3章から第5章では、グリーンイノベーションコンパスにおける、「正しく問題を把握する」、「有効な対策を立案する」、「継続的に実行・管理する」という3つのプロセスについて、それぞれ解説しています。また、プロセス遂行を支援するツールについても併せて解説しています。

第6章では、組織力・人材力強化について解説しています。グリーンイノベーションを創出するための人材教育、評価・報酬制度、組織体制について、考え方や取り組み方を記載しています。

気候変動問題に関して世の中では情報量が溢れ、難解な言葉も非常に多い傾向にありますが、本書では、正確な定義を細かく伝えることよりも、多少語弊があっても分かりやすく伝えることを優先し、平易な言葉で解説しています。

読者のカーボンニュートラル推進に、少しでも役立つ情報をお伝えできれば幸いです。

# 目次



はじめに
CHAPTER 1　カーボンニュートラルに取り組む必要性
カーボンニュートラルとは何か　…10
温暖化による地球への影響　…10
世界各国の目標と政策　…12
日本の目標と政策　…16
カーボンニュートラルは大きなビジネスチャンス　…17
エシカル消費の普及　…19
カーボンニュートラル推進企業の増加　…20
従業員の環境意識の高まり　…22
ESG 投資の積極化　…24
カーボンニュートラルの主役は製造業　…25
CHAPTER 2　グリーンイノベーションコンパスとは
企業が抱える課題　…30
組織価値を高めて、企業価値を高める　…32
経営と現場をつなぐ「グリーンイノベーションコンパス」　…33
CHAPTER 3　正しく問題を把握する
3-1. 温室効果ガス排出量の算定の基本
まずは現状を把握する　…40
サプライチェーン全体の温室効果ガス排出量を算定　…41
温室効果ガス排出量算定の流れ　…45
3-2. 排出量低減に繋げるための算定
排出量をより詳細に算定する　…50

製品開発段階で算定する　…53
１台の製品に直接影響しない項目も算定する　…58
算定精度を高める　…61
**3-3. シナリオ分析・戦略立案**
シナリオ分析により、気候関連リスク・機会に備える　…66
重要なリスク・機会を特定する　…68
シナリオ群を定義する　…71
事業インパクトを評価する　…74
対応方針を策定する　…76
**3-4. ロードマップ策定・現場目標への落とし込み**
目標設定において見られがちな例　…79
カーボンニュートラル実現までのマイルストーンを定める　…81
“GHG 効率” で目標を管理する　…85
利益目標と温室効果ガス排出量目標を連動させる　…88
現場目標に落とし込む　…89
絵に描いた餅で終わらせない　…94
**CHAPTER 4　有効な対策を立案する**
**4-1. 温室効果ガス低減手段の検討**
３つの対策方針　…96
温室効果ガス削減の基本的な考え方　…97
温室効果ガス削減メカニズムを理解する　…99
公開情報を活用する　…103
FA 法でアイデアを発想する　…104
新製品開発・改良アイデアの発想　…106
工程改善アイデアの発想　…110
物流改善による排出量低減　…111

再生可能エネルギーの利活用 …113
カーボンオフセットの検討 …114
4-2. 投資意思決定
施策の実行優先度を評価する …116
インターナルカーボンプライシング制度を導入する …119
ライフサイクルリターンを用いて、投資判断する …131
資金を調達する …135
4-3. サーキュラーエコノミー実現
サーキュラーエコノミーとは …140
「サーキュラーエコノミー＝リサイクル」ではない …141
サーキュラーエコノミーの事例 …143
サーキュラーエコノミーとカーボンニュートラル …146
環境と経済の好循環を実現するビジネスモデルを検討する …149
ビジネスモデル成立のための製品要求を整理する …153
4-4. 気候関連の新たな事業創出
メガトレンド×企業の強み＝魅力的な新事業 …157
社会のニーズを把握する …158
自社のシーズを把握する …163
事業アイデアを創出する …164
事業アイデアを評価する …165
CHAPTER 5 継続的に実行・管理する
5-1. 温室効果ガス排出量管理
対策の実行・管理のための仕組みづくり …170
製品開発段階における製品 CFP 管理 …172
デジタル技術を活用する …172
脱炭素の取り組みや排出量を開示する …175

5-2. 業務プロセス整備
プロセスを整備して QCDG 目標達成 …178
QFD を用いて、製品要求を落とし込む …179
温室効果ガス低減の攻めどころを把握する …182
ティアダウンにより他社製品を分析する …185
サーキュラーエコノミー実現のためのプロセス整備 …186
モジュール化を実現する …190
CHAPTER 6 組織力・人材力強化
プロセスを遂行するのは人 …196
環境意識を高める教育 …197
カーボンニュートラル実現のためのグリーンリスキリング …199
環境目標達成度合いと評価・報酬を連動させる …201
組織体制の構築 …202
おわりに …204
参考文献 …206
索引 …210

# CHAPTER 1

## カーボンニュートラルに取り組む必要性

## カーボンニュートラルとは何か

昨今、「カーボンニュートラル」と声高に叫ばれていますが、そもそもカーボンニュートラルとは何でしょうか。

カーボンニュートラルとは、「温室効果ガスの排出量を実質的にゼロにすること」と定義されています。

例えば、石油を燃やすことにより二酸化炭素が排出されます。二酸化炭素は温室効果ガスの１つです。一方、植林や森林管理を行うと、光合成により、樹木は二酸化炭素を吸収します。このように、人為的に発生させた温室効果ガス排出量から吸収量を差し引いた値を、ゼロにすることを、カーボンニュートラルと呼びます。

カーボンニュートラルを達成するためには、人為的に発生させた温室効果ガス排出量を削減するとともに、温室効果ガスの吸収作用の保全及び強化に努める必要があります。

## 温暖化による地球への影響

カーボンニュートラルに取り組まないと、地球にどのような悪影響があるのでしょうか。

まずは温室効果のメカニズムと、温室効果ガスの役割について説明します。地球は太陽からのエネルギーで暖められ、暖められた地表面から熱が放出されます。放出された熱を温室効果ガスが吸収することで、地球表面付近の大気が暖められます。温室効果ガスは、大気圏に気体として存在し、二酸化炭素、メタン、一酸化二窒素などがあります。

もし温室効果ガスが存在しなければ、地表の大気温度は－ 19℃程度になると言われており、温室効果ガスが存在することで、地表の平均気温は14℃前後に保たれています。つまり、温室効果ガスによって地球は、人間が生活しやすい環境に維持されていると言えるため、温室効果ガスは必要なものなのです。

しかしながら、近年産業活動が活発になり、二酸化炭素に代表される温室効果ガスが大気中に大量に放出されるようになりました。温室効果ガスの濃度が上昇したことで、本来地球外に放出されるはずだった熱が地表にとどまり、地球全体の気温が上昇する傾向にあります。これを温暖化と呼びます。

世界の平均気温は、長期的に見て上昇傾向にあります。図1-1は、1850年を基準とした世界の平均気温の推移です。産業革命に伴い、世界の平均気温は1850年から2020年までで、1.09℃上昇しています。気候変動に関する政府間パネル（IPCC）が2014年に公表した第5次評価報告書では、「20世紀の世界平均気温上昇のほとんどは、人為起源の温室効果ガスによってもたらされた可能性が極めて高い」と記されています。

IPCC第6次評価報告書によれば、「このまま温室効果ガス排出量の削減に取り組まず、化石燃料に依存した場合、2081年から2100年の平均気温は、1850年から1900年の平均気温を基準に4.5℃前後上昇する可能性がある」としています。そうなった場合、海水面の上昇、異常気象（極端な降水／干ばつ、高温など）の発生、海水の酸性化などが懸念され、生態系への影響、水不足、食料不足、インフラ、経済への影響や損害が懸念されます。

図 1-1　世界の平均気温の推移

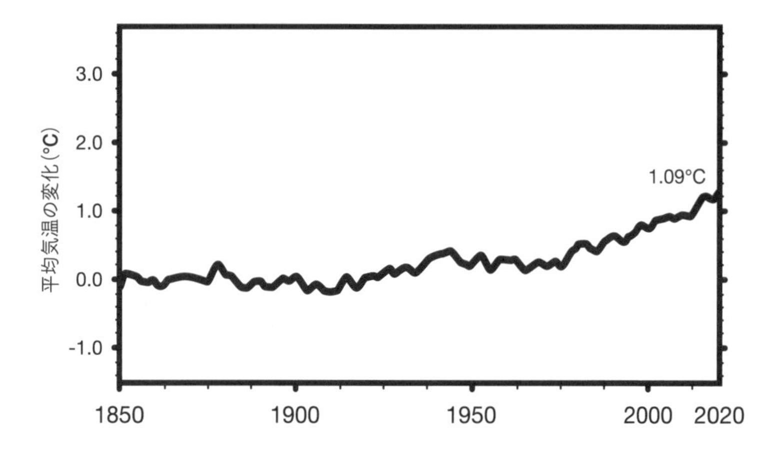


出典：IPCC 第 6 次評価報告書

## 世界各国の目標と政策

こういった温暖化による将来の影響が懸念される中、2015 年 12 月、フランスのパリで開催された国連気候変動枠組条約第 21 回締約国会議（COP21）にて、2020 年以降の温室効果ガス排出削減等のための新たな国際枠組みとして、パリ協定が採択されました。パリ協定では、「世界的な平均気温上昇を、産業革命以前と比べて 2℃より十分低く保つとともに、1.5℃に抑えるよう努力を続けること」が目標として記されました。

IPCC では、「気温上昇を 1.5℃に抑えるためには、2000 年代半ばにはカーボンニュートラルを実現する必要がある」としており、このパリ協定と併せて、各国は温室効果ガス削減に向け、目標を設定し、様々な施策を打ち立てました。

## EUの動き

EUでは、2030年までに温室効果ガス排出量を1990年比で55%以上削減する目標を掲げ、2050年までにカーボンニュートラルを実現することも表明しています。

EUは2019年に「欧州グリーンディール」を打ち出しました。これは、雇用を創出しながら、温室効果ガス排出量の削減を促進する成長戦略のことで、エネルギーの脱炭素化、循環型経済への移行、クリーンな輸送、生物多様性の保護など、広範な政策分野があります。

2021年には、2030年の温室効果ガス削減目標である「1990年比で55%以上削減」を達成するための政策パッケージ「Fit for 55」を発表しました。Fit for 55には、EU排出量取引制度の改正や、再生可能エネルギー割合の引き上げ、自動車への温室効果ガス排出基準に関する規制の改正などが盛り込まれていました。これを受けて、EUでは2035年から実質的に内燃機関自動車（ガソリン車やディーゼル車）の新車販売を禁止することが決まりました。また、2030年から販売される新車についても、2021年比で温室効果ガス排出量を55%削減しなければいけなくなりました。

また、ライフサイクルアセスメント規制（LCA規制）の検討も進んでいます。LCAとは、原料の資源採掘から原料生産、製品生産、流通、使用、リサイクル、廃棄までの製品ライフサイクル全体における環境負荷を定量的に評価する手法です。2024年7月より、電気自動車（EV）に使われるバッテリーは、製品ライフサイクル全体での温室効果ガス排出量を申告するよう自動車メーカーに義務付けています。このLCA規制はEU内だけでなく、世界中に波及する可能性が考えられ、規制に則って適切に情報を開示しなければ、製品を販売できなくなる恐れがあります。

### 米国の動き

米国では、トランプ政権により2020年にパリ協定から離脱したものの、バイデン政権の立ち上げ早々2021年2月に復帰しました。そして、2030年までに温室効果ガス排出量を2005年比で50～52％削減する目標を掲げ、2050年までにカーボンニュートラルを実現することも表明しています。

さらに、2021年11月にインフラ投資雇用法案、2022年8月にインフレ抑制法案が可決されました。インフラ投資雇用法案では、発効から5年間でEV充電施設、道路など輸送分野に約2,800億ドル、非輸送分野に約2,600億ドルの予算を組んでいます。また、インフレ抑制法案では、気候変動対策費として、今後10年で約3,900億ドルの予算を組んでおり、カーボンニュートラルに向けた取り組みが加速するものと考えられます。

ただし、米連邦最高裁より、「連邦政府に温室効果ガス排出規制を行う権限はない」との判断も出ており、米国内での温室効果ガス排出量削減に若干の黄色信号が点灯していることには注意が必要です。

また、米国政府は世界経済フォーラムと協力して、First Movers Coalition（FMC）を立ち上げました。大企業が、温室効果ガス排出量実質ゼロの達成に必要な重要技術を、2030年までに購入することを約束することにより、早期の市場創出、脱炭素技術の開発と普及促進を目指しています。2022年5月には、日本政府は戦略パートナー国としてFMCへの参画を発表し、その中で、初期需要の創出だけでなく、日本が強みを有する重要技術の供給促進やそのために必要な基準策定等にも積極的に取り組む方針を掲げています。

### 中国の動き

中国は、2030年までに温室効果ガス排出量をピークアウトさせ、GDP当たりの温室効果ガス排出量を2005年比で65%以上削減する目標を掲げ、2060年までにカーボンニュートラルを実現することも表明しています。この2つの目標を合わせて、「3060目標」として中華人民の持続可能な発展と人類運命共同体構築の要としています。

また、2035年を目処に新車販売のすべてを環境対応車にする方向で検討することを発表しており、現在、新エネルギー車（NEV）規制と企業平均燃費（CAFC）規制の2つの規制、いわゆる「デュアルクレジット規制」を導入しています。NEV規制は、中国国内で3万台以上生産もしくは輸入する企業に対して、一定比率以上のNEVの販売を課すもので、NEVには、電気自動車（EV）、プラグインハイブリッド車（PHEV）、燃料電池車（FCV）があります。CAFC規制は、中国国内で自動車を2,000台以上生産もしくは輸入する企業に対して、企業平均燃費の目標値をクリアすることを求めるものです。

ここまで、EU、米国、中国における温室効果ガス削減目標や、政策・規制の動向をご紹介しました。特に気候変動に関連する政策・規制は各国様々であり、規制に準拠しなければ事業に悪影響を及ぼす懸念があります。海外生産や海外販売が多い企業、海外拠点を有する企業は、各国の政策・規制の動向に注視し、対応する必要があります。

## 日本の目標と政策

日本では、2030年度までに温室効果ガス排出量を2013年度比で46％削減する目標を掲げ、2050年までにカーボンニュートラルを実現することも表明しています。

2050年カーボンニュートラル実現に向け、グリーン成長戦略を策定し、洋上風力・太陽光・地熱や、水素・燃料アンモニアなど成長が期待される14の重点分野について実行計画を策定し、具体的な見通しを示しています。政府は、これら14の重点分野でのイノベーションに向けた全力での後押しを表明し、グリーンイノベーション基金として2兆円の投資や、カーボンニュートラルに向けた投資促進税制などを行うとしています。

**図 1-2　グリーン成長戦略「実行計画」の14分野**

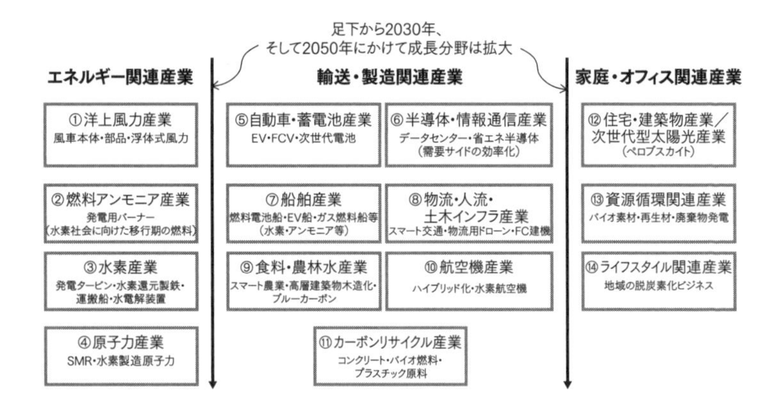


出典：経済産業省「2050年カーボンニュートラルに伴うグリーン成長戦略」

地方自治体に目を向けると、2050年までにゼロカーボンを目指すと表明した自治体、すなわちゼロカーボンシティが増加しており、2023年3月現在、東京都などを始めとする934自治体が表明しています。

また、2021年6月、日本政府は、地方自治体の取り組みを定めた地域脱炭素ロードマップを発表しました。2020～2025年の5年間を集中期間として政策を総動員し、適用可能な最新技術でできる重点対策を全国で実施するとしています。2030年までに少なくとも100カ所の先行モデルケースとなる地域（脱炭素先行地域）をつくり、各地域の取り組みを脱炭素ドミノとして、全国に波及させる方針です。

2023年3月現在、46地域が脱炭素先行地域として選ばれており、各地方自治体や地元企業、金融機関が中心となり、取り組みを進めています。

このように、国と地方の協働・共創による取り組みが活発化し始め、国・地方自治体双方において、カーボンニュートラルを促進する政策も増えていくと予想されます。規制だけでなく、補助金制度など、脱炭素経営を後押ししてくれる政策も増えると思われますので、上手に活用することで事業を運営しやすくなります。また、地域企業としての社会的責任を果たすためにも、カーボンニュートラルに取り組む必要性は高まっていると言えるでしょう。

## カーボンニュートラルは大きなビジネスチャンス

各国の規制の動向だけを見ると、カーボンニュートラルは事業運営における脅威でしかないかもしれません。たしかに、今まで販売できていた製品が、規制導入により販売できなくなる懸念もありますし、規制に従おうとすると支出が増えてしまう懸念もあります。しかし、カーボンニュートラルは大きなビジネスチャンスでもあります。

2021年に環境省が公表した「環境産業の市場規模・雇用規模等に関する報告書」によれば、日本国内の環境産業のうち、地球温暖化対策分野の市場規模は、2019年で約38兆円となり、過去最大となりました。2050年には、約63兆円まで成長する見込みです。すなわち、カーボンニュートラルは、事業拡大のチャンスと捉えることができるのです。

また、企業は、投資家、金融機関、従業員などの協力を得て事業を運営し、企業ブランドを高めながら、消費者や顧客企業に製品・サービスを提供します。ここからは、企業を取り巻くステークホルダーの視点で、カーボンニュートラルに取り組む必要性を考えます。

図 1-3　環境産業における地球温暖化対策分野の市場規模の将来推計

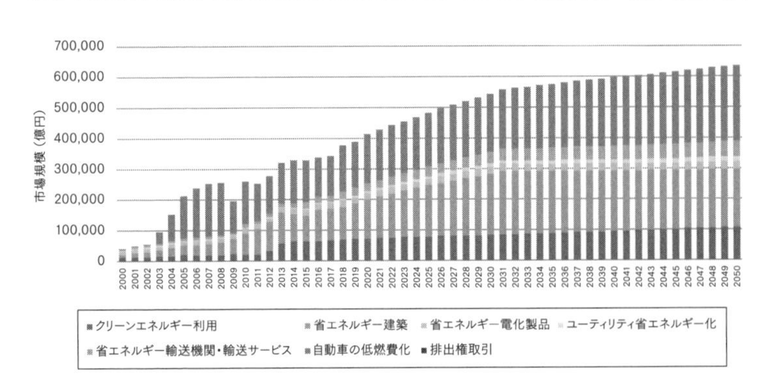


出典：環境省 大臣官房 環境計画課「環境産業の市場規模・雇用規模等の推計結果の概要について（2019 年版）」

# エシカル消費の普及

昨今、エシカル消費が徐々に普及し始めています。エシカル消費とは、社会や環境に対して配慮された製品・サービスを消費することなどを言います。例えば、省エネ家電の購入や、リサイクル素材でつくられた製品の購入などが挙げられ、普段の生活で行われるこれらの消費行動を通じて、社会や環境をより良い方向に導くことを目的としています。このようなエシカル消費を行う人のことを、グリーンコンシューマーと呼びます。

図 1-4 は、内閣府が 2020 年に実施した気候変動に関する世論調査の結果です。これによれば、「脱炭素社会の実現に向けて、温室効果ガス削減に取り組みたい」と考えている人が約 9 割を占めています。

これは、スペックや価格が同等の2つの製品を比較する際、より環境に良い製品を選ぶ消費者が多いことを示唆しています。

したがって、企業がカーボンニュートラルに取り組むことで、グリーンコンシューマーへの提供価値を高め、事業規模を拡大できる可能性があります。

**図 1-4　気候変動に関する世論調査結果**

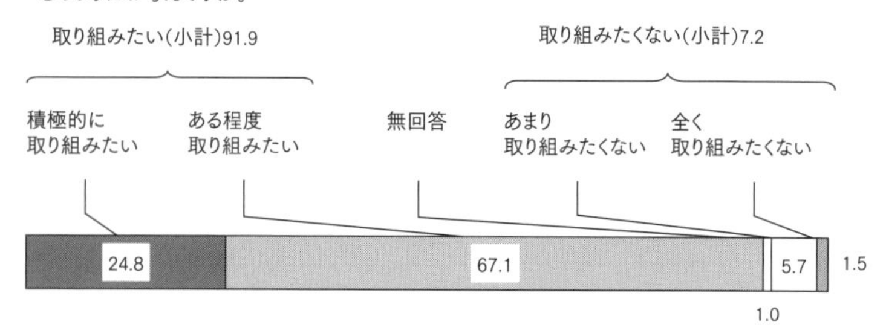


出典：内閣府「気候変動に関する世論調査」

## カーボンニュートラル推進企業の増加

2015年、気候関連の情報開示及び金融機関の対応をどのように行うか検討するため、民間主導の気候関連財務情報開示タスクフォースTCFD（Task Force on Climate-related Financial Disclosures）が設立されました。TCFDは2017年6月に最終報告書を公表し、ガバナンス、戦略、リスク管理、指標と目標の4項目について、開示することを推奨しています。「指標と目標」では、サプライチェーン全体の温室効果ガス排出量、移行リスク、物理的リスク、気候関連の機会、資本の配分、インターナルカーボンプライス、報酬の7つの開示が推奨されています。

さらに2021年6月に改訂されたコーポレートガバナンス・コードでは、プライム市場上場企業に対して、TCFD提言や同等の国際的枠組みに基づく開示の質と量の充実を求めました。すなわち、プライム市場上場企業は、TCFDが提言する4項目、7指標の開示が実質的に義務化されたことになります。

また、SBTi（Science Based Targets initiative）は、気候変動による世界の平均気温の上昇を、産業革命前と比べて1.5℃以内に抑える目標に向けて、科学的知見と整合した削減目標を設定することを推進しています。これに参加している日本企業は年々増加しており、2023年3月現在438社にのぼっています。

これらのことから、すでに多くの企業がカーボンニュートラルに取り組んでいることが分かります。今やカーボンニュートラルに取り組むことが当たり前になってきており、取り組まないと企業ブランドが低下してしまう懸念があります。

また、カーボンニュートラルは、プライム市場上場企業や、SBTi参加企業だけの問題ではありません。これらの企業は、サプライチェーン全体における温室効果ガス排出量の削減、開示を進めているため、その企業のサプライヤーなど、サプライチェーン上にあるすべての企業に影響します。すなわち、サプライヤーとしてカーボンニュートラルに取り組むことは、脱炭素経営を進める取引先への売上規模拡大、販路拡大のチャンスになります。

## 従業員の環境意識の高まり

カーボンニュートラルは、従業員の定着率や採用人数にも影響を与えます。例えば、2019年にAmazonの従業員団体であるAmazon Employees for Climate Justice（AECJ）は、企業として地球温暖化対策に真摯に取り組むことを求める公開書簡を、ジェフ・ベゾスCEO（当時）と役員に送りました。同年9月にAmazonは2040年までにカーボンニュートラルを実現することを誓う「クライメート・プレッジ」を発表しています。こうした意思決定には、少なからず従業員の起こした動きが影響を与えていると考えられます。

また、チューリッヒ保険会社が2022年に実施した「世代間における気候変動に関する意識調査」によれば、Z世代（18歳～25歳）の63.2％が気候変動問題に関心を持ち、Z世代の約半数が「私生活で、脱炭素に向けた意識的な取り組みを行っている」と回答しています。

このように、従業員や就職活動中の人材の環境意識は高まってきており、カーボンニュートラルに取り組むことで、従業員のモチベーション向上や、新卒、第二新卒の優秀な人材確保を期待できます。

## 図 1-5　世代別の気候変動問題への関心度

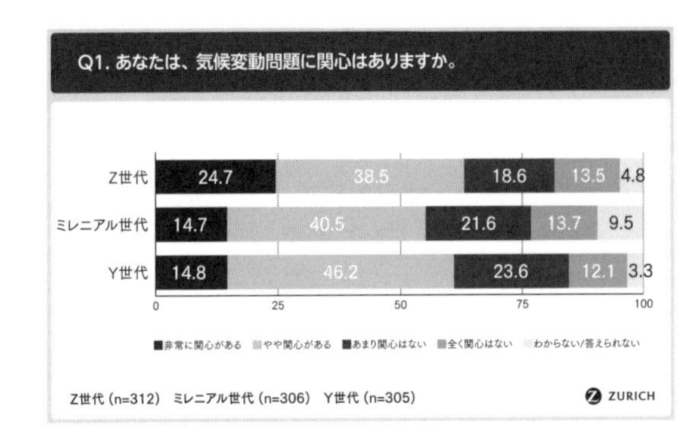


出典：チューリッヒ保険会社ホームページ

## 図 1-6　世代別の脱炭素に向けた取り組み

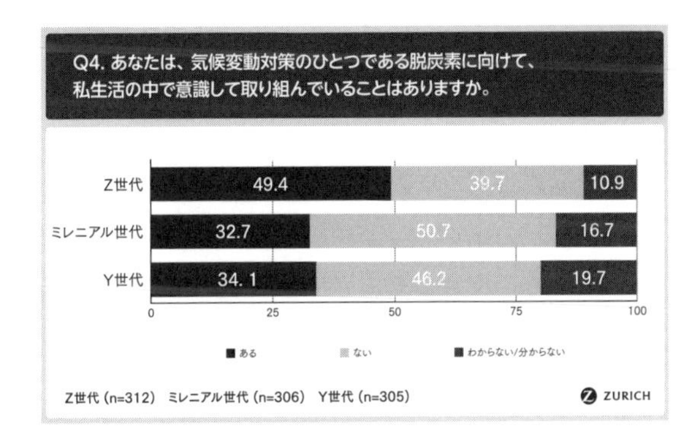


出典：チューリッヒ保険会社ホームページ

## ESG 投資の積極化

近年、企業の環境、社会及びガバナンス（ESG）に関する情報を参考に投資を行う、ESG 投資が注目を集めています。金融機関や機関投資家の間では、ESG 投資を行うことで、社会的責任を果たすとともに、長期的なリスクを軽減し、リターンを向上させることができると考えられています。

世界の ESG 投資額の統計を集計している国際団体である GSIA（Global Sustainable Investment Alliance）の調査によれば、世界の ESG 投資の投資残高は、2016 年の 22 兆 8930 億ドルから、2020 年には 35 兆 3010 億ドルに増加しました。日本の ESG 投資の投資残高は 2016 年の 4740 億ドルから、2020 年には 2 兆 8740 億ドルと、大幅に増加しています。ESG 投資は海外が先行してきたものの、日本国内でも ESG を考慮する投資家が増加していることを示しています。

その最たる例として、年金積立金管理運用独立行政法人（GPIF）が責任投資原則（PRI）へ署名を行ったことが挙げられます。PRI とは、環境、社会、ガバナンスの視点を組み入れて投資を行う、投資原則のことです。署名機関は投資プロセスにおいて、財務情報に加え、ESG の観点を考慮することが求められます。

GPIF の運用資産額は 2022 年度第 3 四半期末時点で約 191 兆円と規模が大きく、GPIF の運用受託機関に対しても PRI 署名と ESG 投資を行うことを求める形になるため、国内市場にもたらす影響は大きいと言えます。また、GPIF は他の公的年金や企業年金のベンチマークでもあるため、同様の動きが他の年金基金にも広がる可能性が高いと考えられます。

すなわち、企業がカーボンニュートラルに取り組むことで、新たな投融資資金の獲得、株価向上のチャンスになり得るのです。

図1-7　世界のESG投資残高の推移

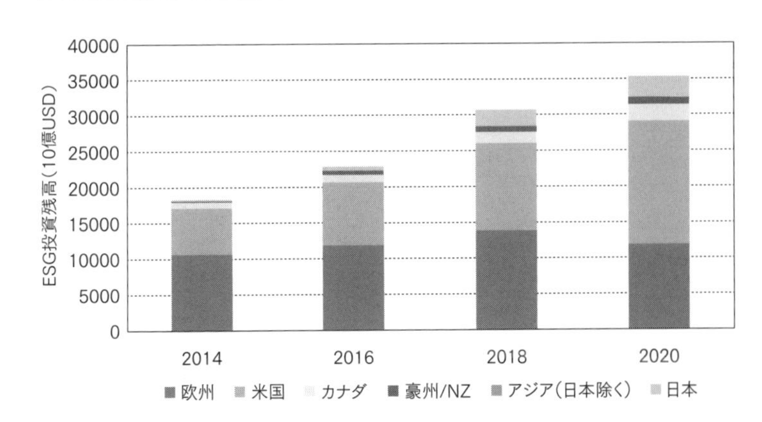


出典：GSIA

## カーボンニュートラルの主役は製造業

次に、日本の温室効果ガス排出量を見ると、2020年度で約11.5億トン（$CO_2$換算）となっています。

温室効果ガスのうち約9割を占める$CO_2$排出量に着目して、部門別内訳を見ると、製造業の工場内における排出量が、日本全体の約31％を占めています。

製造業が取り組めるのは、企業内の温室効果ガス排出量の削減だけではありません。省エネ家電を開発すれば、家庭部門の排出量が削減されます。燃費の良い自動車を開発すれば、運輸部門における「自動車」の排出量が削減されます。

このように、製造業が提供する製品・サービスは、あらゆる部門の排出量に影響しています。したがって、日本のカーボンニュートラルをけん引する主役は製造業であると言えます。

**図 1-8　日本の部門別 $CO_2$ 排出量**

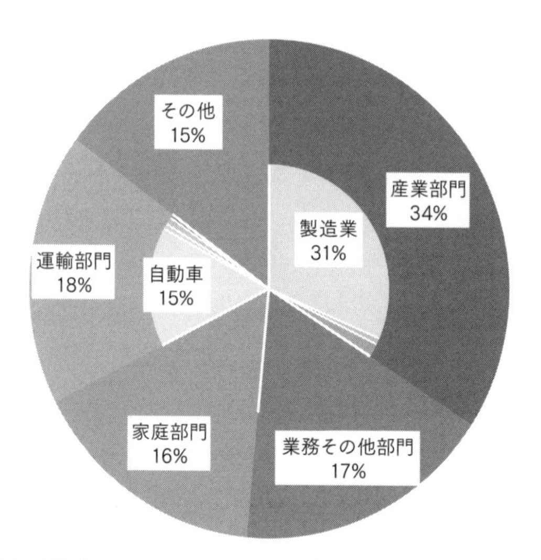


出典：国立研究開発法人国立環境研究所「日本の温室効果ガス排出量データ　1990 ～ 2020 年度　確報値」より ITID にて作成

また、日本のカーボンニュートラル関連の技術力に目を向けてみると、エネルギー白書 2021 では、グリーン成長戦略の 14 分野別に、各国のカーボンニュートラル関連の知財競争力が分析されています。知財競争力は、知財の数だけではなく、知財の質も考慮される必要があります。そこで、特許の引用数、閲覧数、無効審判請求数、特許残存年数などから算出した、統合的な競争力を測る「トータルパテントアセット」という指標が用いられています。

図1-9は、2010～2019年のトータルパテントアセットの総和を、各分野・各国で比較した結果です。対象国は、米国、中国、韓国、台湾、イギリス、ドイツ、フランス、日本の計8カ国・地域です。

その結果、「水素」「自動車・蓄電池」「半導体・情報通信」「食料・農林水産」の4分野において、日本は1位となっています。また、それ以外の全分野で、世界4位以内に入っており、比較的高い知財競争力を有していることが分かります。

すなわち、日本の製造業は、カーボンニュートラルを実現するための高い技術力を有しており、グリーンイノベーションを起こして、技術力をさらに高めていくことで、気候変動問題の解決に大きく近づくのです。

## 図1-9　特許競争力の国別比較

| | | 第1位 | 第2位 | 第3位 | 第4位 | 第5位 |
|---|---|---|---|---|---|---|
| エネルギー関連産業 | 洋上風力 | 中国 | 日本 | 米国 | ドイツ | 韓国 |
| | 燃料アンモニア | 米国 | 中国 | 日本 | ドイツ | イギリス |
| | 水素 | 日本 | 中国 | 米国 | 韓国 | ドイツ |
| | 原子力 | 米国 | 中国 | イギリス | 日本 | 韓国 |
| 輸送・製造関連産業 | 自動車・蓄電池 | 日本 | 中国 | 米国 | 韓国 | ドイツ |
| | 半導体・情報通信 | 日本 | 米国 | 中国 | 韓国 | 台湾 |
| | 船舶 | 韓国 | 中国 | 日本 | 米国 | ドイツ |
| | 物流・陣流・土木インフラ | 中国 | 米国 | 韓国 | 日本 | ドイツ |
| | 食料・農林水産 | 日本 | 米国 | 韓国 | 中国 | フランス |
| | 航空機 | 米国 | フランス | 中国 | 日本 | イギリス |
| | カーボンリサイクル | 中国 | 米国 | 日本 | 韓国 | フランス |
| 家庭・オフィス関連産業 | 住宅建築物次世代太陽光 | 中国 | 日本 | 米国 | 韓国 | ドイツ |
| | 資源循環 | 中国 | 米国 | 韓国 | 日本 | フランス |
| | ライフスタイル | 中国 | 米国 | 日本 | フランス | ドイツ |

出典：資源エネルギー庁「エネルギー白書 2021」

# CHAPTER 2

# グリーンイノベーションコンパスとは

## 企業が抱える課題

第１章で述べたように、企業は様々なステークホルダーから、カーボンニュートラル実現に向けた取り組みを求められています。

カーボンニュートラルに取り組まなければ、金融機関から融資を渋られ、若手世代の雇用も困難になり、価値ある製品をつくれなくなるかもしれません。また、各国の規制強化により、せっかく開発した製品を販売することができなくなるかもしれませんし、販売できたとしてもグリーンコンシューマーや取引先に購入してもらえないかもしれません。さらには、エネルギー価格高騰による支出増加や、株価の下落を引き起こす恐れもあります。

何より、カーボンニュートラルに取り組まなければ、我々の子供や孫の世代が安心して地球で暮らせなくなるかもしれないのです。

このような背景があり、現在多くの企業がカーボンニュートラルに取り組んでいる、あるいは取り組もうとしていますが、まだまだ多くの課題を抱えているのが現状です。特に最近では、現場部門（ライン部門）における悩みの声がよく聞かれるようになりました。

ひと昔前までは、経営企画部門や環境部門の方々から、カーボンニュートラルに関する悩みの声が多かった一方で、現場部門からの悩みの声はあまり多くありませんでした。

しかし、今では、製造業の商品企画部門、開発部門、生産部門のような現場部門の方々から、以下のような悩みが聞かれるようになりました。

- カーボンニュートラル実現に向けて、自部門が何から取り組めば良いか分からない

■全社の環境方針や戦略を、自部門のアクションプランに落とし込めない
■製品単位や工程単位で温室効果ガス排出量を算定できない
■グリーンイノベーションを創出できない
■カーボンニュートラル実現に向けて、製品開発プロセスをどう変えれば良いか悩んでいる
■従業員の行動変容を促せない
■脱炭素と利益向上の好循環が得られない

これは、カーボンニュートラルが経営課題としてだけでなく、現場レベル・オペレーションレベルの課題として認識され始めていることを示唆しています。

また、最近は「グリーンウォッシュ」といった言葉も出てきています。グリーンウォッシュとは、企業や商品などが、環境に配慮しているかのように見せかけ、実態が伴わないことを指します。

以前、ある製造業の生産部門長の方とお話ししたところ、「私の企業は環境問題に対する取り組みを社外にPRして、表彰されたこともあるが、実態は、環境部門が体よく数字を見せているだけで、現場は何も変わっていない」と、悲嘆の声をお聞きしました。

最近は、グリーンウォッシュを疑われた企業に対して、消費者からの批判や株価下落が見られるようになり、訴訟問題まで発展するケースもありました。そのため、今後は見せかけだけの対応ではなく、開発現場や生産現場がカーボンニュートラル実現に向けて真摯に取り組んでいく必要があると言えるでしょう。

では、企業はカーボンニュートラルに向けてどのように取り組めば良いでしょうか。

特にものづくり企業がカーボンニュートラルを実現するには、現状把握、目標設定、対策立案、実行管理といったプロセスを高度に遂行しなければいけません。そのためには、何か1つの施策が解になるのではなく、プロセス整備、ツール整備、組織力・人材力強化といった総合的に組織価値を高めるアプローチが有効です。

## 組織価値を高めて、企業価値を高める

カーボンニュートラルを実現し、企業価値を高めるための第一歩として有効なのが、組織価値の向上です。組織価値を高め、社会価値を共創し、経済価値を獲得するサイクルを、高度に循環させることで企業価値が高まります。

組織価値とは、ビジョンと戦略の整合性、従業員の仕事への熱意、スキル、業務プロセス、ITシステム、インフラなど、組織が目標を達成するための基盤となるものです。

社会価値は、企業が提供する商品やサービスによって、顧客や社会が享受する嬉しさのことです。高品質で環境にやさしい商品・サービスを、適正な価格で顧客に提供することで、社会価値を高めることができます。社会価値には、顧客にとっての嬉しさを示す顧客価値や、環境へのやさしさを示す環境価値が含まれます。

経済価値は、株価、利益、キャッシュフローなど、貨幣で表せられる価値です。得られた利益を従業員に還元したり、プロセス整備やITシステム導入に投資したりすることで、組織価値を高めることができます。

図 2-1　企業価値向上のサイクル

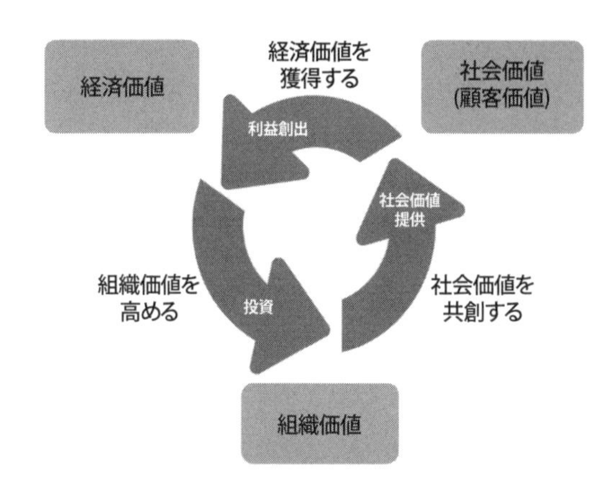


## 経営と現場をつなぐ「グリーンイノベーションコンパス」

では、カーボンニュートラル実現のためには、どのように組織価値を高めれば良いでしょうか。

その答えを導き出すために、製品開発現場が普段直面している開発課題について考えてみます。「開発した製品の不具合が多発している」「目標原価を達成できない開発プロジェクトが多い」といった悩みは、多くの製造業が経験してきていると思います。そして、これらの悩みの解決のために、DR(デザインレビュー)プロセスの高度化、FMEAのような品質管理ツールの導入、PLMやBOMといったITシステム導入、設計スキルを高める人材教育などにより、組織価値を高めて、問題を解決していると思います。

カーボンニュートラル実現に向けたアプローチについても、品質問題やコスト問題同様に、「プロセスの整備・遂行」「ツール整備」「組織力・人材力の強化」の3点が重要です。これらの組織価値を高めるための羅針盤となるフレームを「グリーンイノベーションコンパス」と言います。図2-2は、グリーンイノベーションコンパスの概略図です。

## 図 2-2　グリーンイノベーションコンパス

### プロセスの整備・遂行

**正しく問題を把握する**

CO2排出量算定・ボトルネック特定

シナリオ分析・戦略立案

ロードマップ策定

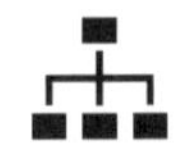
現場目標への落とし込み

**有効な対策を立案する**

CO2低減手段検討

サーキュラーエコノミー実現

気候関連の新たな事業創出

投資意思決定

**継続的に実行・管理する**

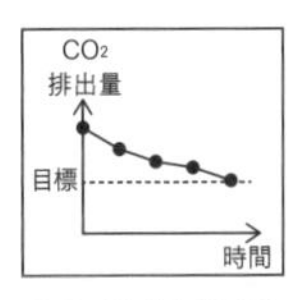

CO2排出量管理

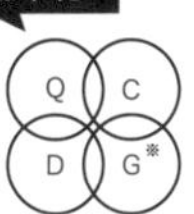

業務プロセス整備

※G：GHG（温室効果ガス）

### ツール整備

**CO2排出量算定**

排出原単位テーブル

**投資意思決定**

インターナルカーボンプライシング

**CO2排出量管理**

管理システム

### 組織力・人材力の強化

組織体制構築

環境意識向上

グリーンスキル向上

## プロセスの整備・遂行

カーボンニュートラル実現に向けたプロセスは、大きく以下の3つに分かれます。

STEP 1｜正しく問題を把握する

STEP 2｜有効な対策を立案する

STEP 3｜継続的に実行・管理する

### STEP 1｜正しく問題を把握する

ここでは、現状を把握し、目標を設定します。まず、現状の温室効果ガス排出量の算定や、気候関連リスク・機会の特定によるシナリオ分析を行います。次に、ロードマップを策定して、現場目標に落とし込みます。

### STEP 2｜有効な対策を立案する

ここでは、STEP 1で得られた目標を達成するための対策を立案します。温室効果ガス排出量低減手段を検討し、その対策案に投資すべきかどうか意思決定を行います。また、サーキュラーエコノミー実現のためのビジネスモデル検討、気候関連の新たなビジネスの創出についても検討します。

### STEP 3｜継続的に実行・管理する

ここでは、STEP 2で立案した対策を継続的に実行・管理します。

温室効果ガス低減施策の実行計画や新事業立上げ計画が順調に進捗しているか、対策により温室効果ガス排出量が計画通りに下がっているかを管理するための仕組みを構築します。また、品質、コスト、納期、温室効果ガス排出量のバランスを見ながら、継続的に業務を遂行するためのプロセスを整備します。

## ツール整備

前述のプロセスをより高度かつ効率的に回すためにはツールの整備も重要です。

例えば、温室効果ガス排出量を製品開発段階でより精度高く見積もるために、**排出原単位テーブル**を整備します。製品設計において、部品サイズや溶接長を検討する際、排出原単位テーブルに記載された「部品重量1kg当たりの温室効果ガス排出量」、「溶接長1mm当たりの温室効果ガス排出量」などの情報を用いて、温室効果ガス排出量を見積もることができます。

また、温室効果ガス排出量低減策の投資判断や、従業員の行動変容を促すためには、**インターナルカーボンプライシング**の導入が有効です。温室効果ガス排出量1t当たりの価格をあらかじめ社内で決めておくことで、環境と経済の両面を考慮して投資判断しやすくなります。

さらに、投資判断した後は、温室効果ガス排出量が計画通りに削減できているか、継続的に管理します。しかし、この作業をすべてExcelで行うには限界があります。そのため、**温室効果ガス排出量の管理システム**を導入することで、より効果的なプロセス遂行が期待できます。

## 組織力・人材力の強化

ここまでプロセス、ツールといったハード面の話をしてきましたが、プロセスを遂行するのも、ツールを使用するのも人です。組織力・人材力が伴わなければ、絵に描いた餅で終わってしまいます。

組織面では、**組織体制を構築**し、「誰が」、「いつまでに」、「何をするか」といった役割を明確にします。また、自社内だけでなく、サプライヤーや自治体、関連団体などとの連携体制も整えます。

人材面では、**従業員の環境意識**を高めなければいけません。「なぜカーボンニュートラルを目指すのか」といった組織ビジョンや、「カーボンニュートラルに取り組まないと企業や従業員はどうなるのか」といった組織にまつわるリスク・機会を、組織全体で共有します。

また、**環境教育**を実施し、プロセスを遂行するためのスキルを高めることも重要です。

以上のように、「プロセスの整備・遂行」「ツール整備」「組織力・人材力の強化」の3つの観点で組織価値を高めることで、カーボンニュートラルの実現、ひいては企業価値の向上につながります。

# CHAPTER 3

## 正しく問題を把握する

# 温室効果ガス排出量の算定の基本

## まずは現状を把握する

カーボンニュートラル実現に向けて目標を設定し、戦略を立案するために、まずは現状の把握から始めます。

気候変動問題が取り沙汰される以前から、企業や組織は、何らかの目標を設定し、戦略を立案してきました。事業レベルであれば売上や利益、販売シェア目標などが課せられますし、製品レベルであれば品質やコスト、納期目標などが課せられます。これらの目標を設定する際や、目標達成に向けて戦略を立案する際は、組織内外のあらゆる情報を整理します。

通常、事業戦略や製品戦略を立案する際は、法規制や税制などの政治的環境、景気動向や経済成長率などの経済的環境、人口動態や世論などの社会的環境といった、マクロ視点での外部環境情報、顧客ニーズや競合他社の動向、業界の技術動向などといったミクロ視点での外部環境情報、技術力、人材力、ブランド、ノウハウといった内部環境情報などを総合的に考慮します。

そして、カーボンニュートラルを踏まえた目標設定、戦略立案においては、上記に加え、温室効果ガス排出量、気候関連リスク・機会といった、気候関連の外部環境情報、内部環境情報も分析する必要があります。

# サプライチェーン全体の温室効果ガス排出量を算定

カーボンニュートラルを実現するためには、まずは温室効果ガスがどの企業活動によってどれだけ排出されているかを把握することから始めます。温室効果ガス排出量の算定の際は、GHG プロトコルと呼ばれる、温室効果ガス排出量を算定・報告する際の国際的な基準を活用します。ただし、GHG プロトコルをそのまま適用するには日本企業にとって使いづらい部分、解釈が難しい部分があるため、GHG プロトコルと整合を図りながら、国内の実態も踏まえて環境省と経済産業省が策定した「サプライチェーンを通じた温室効果ガス排出量算定に関する基本ガイドライン」を活用しても構いません。

GHG プロトコルでは、温室効果ガス排出量の算定対象を Scope 1～3の3つに分類しています。

Scope 1とは、ガソリンなどの燃料の燃焼や、工業プロセスといった、事業者自らによる温室効果ガスの直接排出を指します。

Scope 2とは、他社から供給された電気、熱、蒸気の使用に伴う間接排出で、電力会社から購入した電気の使用などによる排出を指します。

Scope 3は、Scope 1、Scope 2以外の間接排出で、サプライヤーからの排出、部品や製品の輸送・配送に伴う排出、製品の使用・廃棄による排出など、自社のサプライチェーンに関連する他社の排出を指します。GHG プロトコルの Scope 3基準では、Scope 3を15のカテゴリに分類しています。特に、製造業においては、Scope 1、2、及び Scope 3のカテゴリ1「購入した製品・サービス」、カテゴリ11「販売した製品の使用」が比較的多い傾向にあります。

従来は、企業の温室効果ガス排出量削減の取り組みの対象は、Scope 1、Scope 2が中心でしたが、昨今ではサプライチェーン全体の排出量の把握・管理の社会的要請が高まり、Scope 3も算定・削減する動きが強まっています。

製造業の温室効果ガス排出量の内訳を見てみましょう。図3-1は、ソニーグループの温室効果ガス排出量を示したグラフです。排出量が最も多いのは、Scope 3カテゴリ11「販売した製品の使用」で、約1,073万tの温室効果ガスを排出しており、全体の約6割を占めます。製品使用時の電力消費による温室効果ガス排出量が非常に大きいことがうかがえます。

次いで多いのが、Scope 3カテゴリ1「購入した製品・サービス」で、381万tの温室効果ガスを排出しており、全体の約22%を占めます。これはソニーグループに部品を供給するサプライヤー、そのサプライヤーに部品を供給する2次下請け、原材料を精製する原料メーカーなどによる排出量です。

## 図 3-1　ソニーグループの温室効果ガス排出量

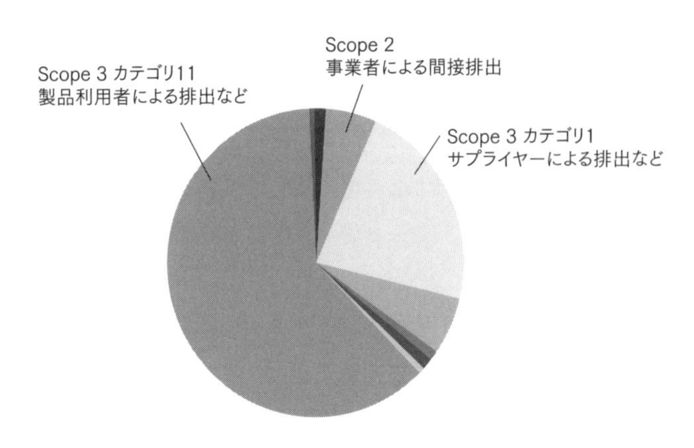


［万 t-$CO_2$］

| Scope・カテゴリ | | 排出量 |
|---|---|---|
| Scope 1 事業者による直接排出 | | 21.1 |
| Scope 2 事業者による間接排出 | | 98.4 |
| Scope 3 他社の排出 | 1　購入した製品・サービス | 381.0 |
| | 2　資本財 | 101.6 |
| | 3　Scope 1、2に含まれない燃料及びエネルギー関連活動 | 17.3 |
| | 4　輸送、配送（上流） | 20.8 |
| | 5　事業から出る廃棄物 | 4.4 |
| | 6　出張 | 1.1 |
| | 7　雇用者の通勤 | 5.2 |
| | 8　リース資産（上流） | 対象外 |
| | 9　輸送、配送（下流） | 0.5 |
| | 10　販売した製品の加工 | 0.5 |
| | 11　販売した製品の使用 | 1072.5 |
| | 12　販売した製品の廃棄 | 9.4 |
| | 13　リース資産（下流） | 対象外 |
| | 14　フランチャイズ | 対象外 |
| | 15　投資 | 1.6 |

※数字はカテゴリ番号を示す

出典：ソニーグループ株式会社 Sustainability Report2022 を基に ITID にてグラフ作成

このような特徴は決してソニーグループだけに見られるものではありません。多くの製品メーカーにおいて、カテゴリ1やカテゴリ11が多い傾向にあります。

そして、これらカテゴリ1やカテゴリ11の排出量を削減する責任を製品メーカーは負うことになります。カテゴリ11削減のために製品使用者である顧客は、より製品使用時間を減らすくらいしかできません。そのため、製品メーカーは省エネ製品を開発・販売することで、カテゴリ11を削減しようとしています。

カテゴリ1については、当然サプライヤーにも削減責任がありますが、製品メーカーにも削減責任があります。そうでなければ、部品をなるべく外製化してしまった方が製品メーカーの温室効果ガス排出量は少なくなります。特に、製品メーカーが部品設計を行う場合、外作部品生産に伴う温室効果ガス排出量に責任を持たなければ、設計改良による温室効果ガス削減活動は行われなくなってしまいます。

大手製品メーカーのサプライヤーである中小製造業からは、「部品形状や製法は製品メーカーが決めてしまっているので、我が社ができる取り組みは限定的」といった声も聞かれます。すなわち、製品メーカーは、資源採取段階から部品調達段階までの温室効果ガス排出量削減も考慮して事業を行う必要があるのです。

Scope 3の他カテゴリも同様で、製造業は、原材料の調達・製造・物流・販売・廃棄など、サプライチェーン全体の温室効果ガス排出量を算定し、削減しなければなりません。

少し話がそれますが、Scope 3の算定の話をすると、「複数社間でのScope、カテゴリが重複するため、多重計上になるのではないか？」とご質問をいただくことがよくあります。国内の企業のScope 1、2排出量の総和は、日本における企業活動の排出量の総和に相当しますが、Scope 3を含めると、その定義上、複数の企業が同一の排出を各社のScope、カテゴリにおいて多重に計上することが前提になっています。ですので、多重計上になりますが、問題はありません。

## 温室効果ガス排出量算定の流れ

以下のSTEPで温室効果ガス排出量を算定します。

STEP 1｜算定目的の設定
STEP 2｜算定対象範囲の設定
STEP 3｜算定方法の検討
STEP 4｜活動量データの収集・算定

### STEP 1｜算定目的の設定

まずは、温室効果ガス排出量を算定する目的を設定します。

算定目的ごとに必要となる算定精度や算定範囲が異なります。算定精度や算定範囲は、できる限り高めることが望ましいとされますが、算定精度を高めると算定の労力・コストの増大も懸念されることから、算定目的に応じた算定精度を意識することが重要と考えられています。

例えば、Scope 3カテゴリ1「購入した製品・サービス」は、自社が購入・取得したすべての製品（原材料、部品、仕入れ商品や販売にかかる資材など）及びサービスの資源採取段階から製造段階までの排出量を指します。そして、表3-1に示すように、複数の算定方法が認められています。

**表 3-1　Scope 3カテゴリ1の算定方法**

| No. | 算定方法 | 算定難易度 | 算定精度 |
|---|---|---|---|
| ① | 購入した製品・サービスの金額データに、産業連関表ベースの排出原単位を掛けて算定 | 易 | 低 |
| ② | 購入した製品の物量データに、産業連関表ベースの排出原単位を掛けて算定 | ↕ | ↕ |
| ③ | 購入した製品の、ライフサイクルの各段階で投入した資源・エネルギー（インプット）と排出物（アウトプット）を集計し、物量データに積み上げベースの排出原単位を掛けて算出 | ↕ | ↕ |
| ④ | 自社が購入・取得した製品またはサービスにかかる資源採取段階から製造段階までの排出量をサプライヤーごとに把握し、積み上げて算定 | 難 | 高 |

算定難易度が低いほど、労力・コストをかけずに算定することが可能ですが、算定精度は低くなり、反対に算定精度を高めようとすると、算定難易度が高まります。

算定方法は、算定目的や制約に応じて変わります。サプライチェーン排出量の全体像（排出量総量、排出源ごとの排出割合）を把握し、サプライチェーン上で優先的に削減すべき対象を特定することが目的である場合、全カテゴリを算定しなければならないため、算定方法①あるいは②を用いて、なるべく労力・コストをかけずに算定することが妥当と言えます。特定した削減対象について、活動実態に即した精度の高い算定を行い、具体的な削減対策の検討に役立てることが目的の場合、多少の労力をかけてでも、算定方法③あるいは④を選択することが適切です。

## STEP 2｜算定対象範囲の設定

次に算定対象とする範囲を設定します。原則として、サプライチェーン全体の温室効果ガス排出量を算定することが望まれます。ただし、「サプライチェーンを通じた温室効果ガス排出量算定に関する基本ガイドライン（ver. 2.4）」（環境省）によれば、下記に当てはまるものは、算定を除外しても良いとされています。

■排出量が小さくサプライチェーン排出量全体に与える影響が小さいもの
■事業者が排出や排出削減に影響力を及ぼすことが難しいもの
■排出量の算定に必要なデータの収集等が困難なもの
■自ら設定した排出量算定の目的から見て不要なもの

温室効果ガスは二酸化炭素だけではありません。メタン、一酸化二窒素、ハイドロフルオロカーボン類、パーフルオロカーボン類、六フッ化硫黄、三フッ化窒素も算定対象とすることが望まれます。

このSTEPでは、組織的範囲（自社のみか、子会社・関連会社も含むか）や地理的範囲（国内拠点のみか、海外拠点も含むか）も、算定目的を鑑みて設定します。

また、算定対象の粒度も明確にします。企業全体の温室効果ガス排出量を算定・開示している企業はかなり増えてきましたが、製品別排出量、工程別排出量、部門別排出量など、細かい粒度で算定している企業はまだあまり多くありません。しかし、温室効果ガス排出量の削減を目的に算定する場合、現場が削減活動を実行・管理できるレベルまで詳細化する必要があります。

特に、製品別排出量の算定・開示の社会的要請は強まっています。これは、製品CFP（カーボンフットプリント）とも呼ばれます。製品別排出量が開示されることで、消費者はより環境負荷が小さい製品を選択して購入することができますし、事業者はより温室効果ガス排出量が小さい部品をサプライヤーから購入することで、自社のサプライチェーン排出量を下げることができるようになります。

### STEP 3 | 算定方法の検討

算定対象範囲を確認した後は、各活動をScope 1、Scope 2、及びScope 3カテゴリ1～15に分類していきます。

例えば、「製品生産に必要な部品の調達」という活動であれば、Scope 3カテゴリ1「購入した製品・サービス」に分類し、「使用者による製品の使用」という活動であれば、Scope 3カテゴリ11「販売した製品の使用」に分類します。

各活動を分類した後は、算定目的を考慮しながら、算定方法を検討します。基本的には、「活動量×排出原単位」の基本式で温室効果ガス排出量を算定します。活動量は、事業者の活動の規模を示すもので、電気の使用量や、廃棄物の処理量などが該当します。排出原単位は、活動量当たりの温室効果ガス排出量を示すもので、電気使用量1kWh当たりの温室効果ガス排出量、廃棄物の焼却1t当たりの温室効果ガス排出量などが該当します。

排出原単位は、環境省が公表している「温室効果ガス排出量 算定・報告・公表制度における排出係数」、「サプライチェーンを通じた組織の温室効果ガス排出等の算定のための排出原単位データベース」、一般社団法人サステナブル経営推進機構SuMPOが提供している「LCIデータベースIDEA」など、既存のデータベースから選択して使用することができます。

### STEP 4 | 活動量データの収集・算定

算定方法が決まったら、各Scope、カテゴリごとに収集すべきデータを整理し、データを収集します。その後、算定方法に基づいて、温室効果ガス排出量を算定します。

## 表 3-2　温室効果ガス排出量の算定イメージ

| Scope カテゴリ | 活動 | 算定方法 | 活動量 | 排出原単位 | GHG 排出量 |
|---|---|---|---|---|---|
| Scope 1 事業者による直接排出 | 燃料の燃焼 | 燃料法を用いて燃料使用量から算定 | ガソリン 50kL | 2.322 t-$CO_2$/kL | 116.1 t-$CO_2$ |
| | | 燃料法を用いて燃料使用量から算定 | A 重油 20kL | 2.710 t-$CO_2$/kL | 54.2 t-$CO_2$ |
| Scope 2 事業者による間接排出 | 電気の使用 | 電気使用量を基に算定 | 電気 1,000MWh | 0.531 t-$CO_2$/MWh | 531 t-$CO_2$ |
| Scope 3 カテゴリ 1 購入した製品・サービス | 原材料の調達 | 調達物ごとの年間調達量から算定 | 熱間圧延鋼材 200t | 1.90 t-$CO_2$/t | 380 t-$CO_2$ |
| | | | プラスチック製品 40t | 1.95 t-$CO_2$/t | 78 t-$CO_2$ |
| | | | 塗料 20t | 2.30 t-$CO_2$/t | 46 t-$CO_2$ |
| Scope 3 カテゴリ 2 資本財 | 生産設備の増設 | 設備投資金額を基に算定 | 投資金額 300 百万円 | 3.44 t-$CO_2$/ 百万円 | 1,032 t-$CO_2$ |
| | | | | | |

# 2 排出量低減に繋げるための算定

## 排出量をより詳細に算定する

ここまでは、温室効果ガス排出量の全体像を把握する流れについて解説してきましたが、これだけでは、現場は排出量削減に向けた行動に移すことができません。

そこで、より詳細に温室効果ガス排出量を分析し、ボトルネックを特定します。例えば、ある製品のScope、カテゴリ別の排出量を算定した結果、Scope 2「自社における電気の使用等による間接排出」の排出量が多ければ、工程ごとの温室効果ガス排出量を分析して、より多く排出している工程を特定します。Scope 3 カテゴリ 1「購入した製品・サービス」の排出量が多ければ、部品ごとの温室効果ガス排出量を分析して、より多く排出している部品を特定します。

工程ごとの温室効果ガス排出量を算定する際は、マテリアルフロー図の作成が有効です。マテリアルフロー図とは、各プロセスにおけるマテリアルやエネルギーの流れを図示したものです。

図3-2に示すように、自社の生産段階におけるマテリアルフロー図を描き、各工程で投入するマテリアル・エネルギー（インプット）と、各工程で出力されるマテリアル・廃棄物（アウトプット）の物量を把握します。

Scope 2排出量を算定する場合は、各工程における電気使用量データを取得し、排出原単位を掛け合わせることで、温室効果ガス排出量を算定することができます。

当然、製造方法が変われば、温室効果ガス排出量は変わります。設計者には、製造方法を考えて設計するスキルが、これまで以上に求められるでしょう。マテリアルフロー図を作成すれば、「どのようなプロセスを経て製品が生産されるか」、「各プロセスにおいて、どれだけマテリアルやエネルギーが使用されるか」が見える化されるため、温室効果ガス排出量削減を考える際の、設計者の助けとなる利点もあります。

**図 3-2　マテリアルフロー図の例**

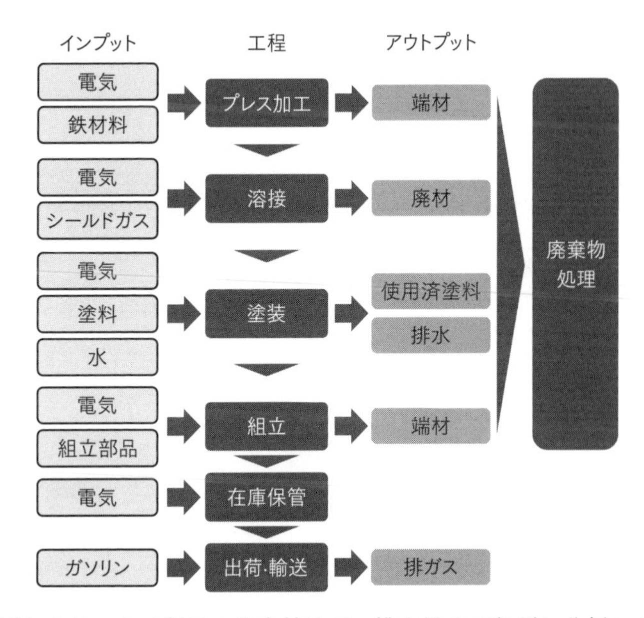


図 3-3 は、ある製品の温室効果ガス排出量を工程別に分析した例です。この製品では、Scope 2「自社における電気の使用等による間接排出」の排出量が、多くの割合を占めていました。そこで、工程別に温室効果ガス排出量を算定した結果、金属洗浄工程における排出量

が多いことが分かりました。この企業では、金属部品洗浄のための炭化水素洗浄機で重油を使用しており、温室効果ガスが多く発生していました。

このように分析を行うことで、「部品サイズを小さくするなど、洗浄時間を短くできるように設計する」、「洗浄方式を超音波洗浄や温水洗浄などに替えて、重油を使用しないようにする」、「高強度バイオプラスチック部品を使用するなど、金属洗浄が不要な設計にする」といった対策方針を考えることができます。

このように、温室効果ガス排出量が多いScope、カテゴリについて、詳細に分析していくことで、ボトルネックを特定し、有効な対策方針を検討できるようになります。

**図 3-3　工程別の温室効果ガス排出量の見える化**

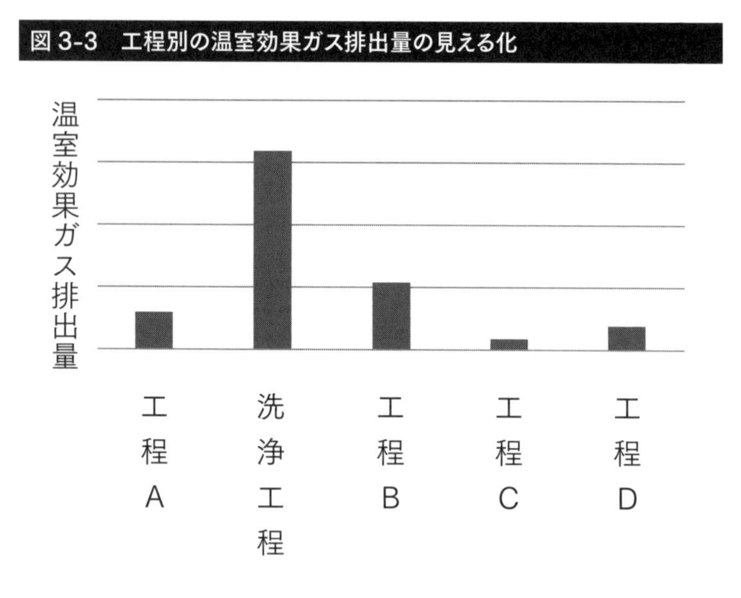

## 製品開発段階で算定する

企業の温室効果ガス排出量を算定するのはどのようなタイミングが良いのでしょうか。通常は、毎月、四半期ごと、年度末など、企業によって異なりつつも、基本的には活動した後に算定します。また、製品別排出量の算定に着手する企業も徐々に増えてきていますが、算定のタイミングはやはり製品開発完了後となっています。

しかし、製品開発が完了した後に算定して、削減活動を実施しても、その効果は限定的です。

図3-4は、製品別温室効果ガス排出量の発生曲線と決定曲線のイメージ図です。温室効果ガス排出量の発生曲線を見ると分かるように、製品企画・設計段階では温室効果ガスはあまり排出されず、製造段階・使用段階で多く排出されます。前掲図3-1で示したソニーグループの温室効果ガス排出量の内訳を見ても、Scope 3 カテゴリ 11「販売した製品の使用」、Scope 3 カテゴリ 1「購入した製品・サービス」の排出量が多いことから、イメージしやすいと思います。

次に、温室効果ガス排出量の決定曲線を見てみると、温室効果ガス排出量のほとんどが、製品企画・設計段階で決まってしまいます。すなわち、製品開発段階で温室効果ガスを見積もり、スピーディにPDCAを回さなければ、製品別排出量の削減は困難ということです。

## 図 3-4　温室効果ガス排出量の発生曲線と決定曲線

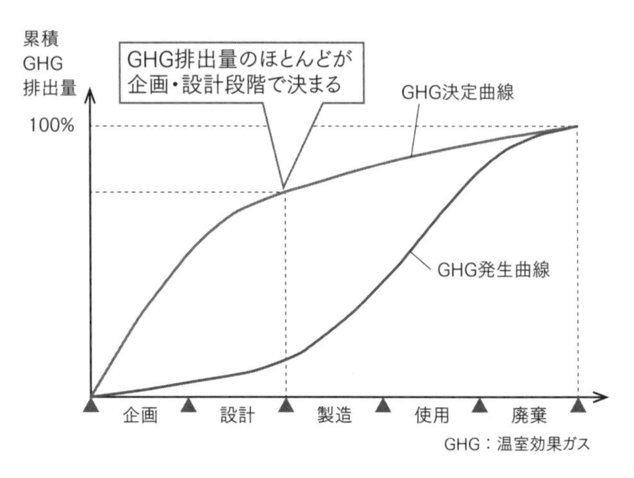


ただし、量産段階にならないと得られないデータが数多く存在するため、製品開発段階で温室効果ガス排出量を精緻に算定することは難しいでしょう。しかし、データ取得が困難だからといって、算定を諦めるべきではありません。製品原価管理に目を向ければ、量産段階にならないと正確な原価は当然算定できないながらも、多くの企業が製品開発段階で原価を見積もり、PDCA を回して、原価目標達成に尽力しています。同様に、温室効果ガス排出量を減らそうとした際には、何らかの前提条件を設定して早い段階で算定する必要があるのです。

例えば、ある金属部品の初期設計が完了し、その重量が 1kg である場合、Scope 3 カテゴリ 1「購入した製品・サービス」の排出量はどのように算定すれば良いでしょうか。まだ量産していないため、重量 1kg の部品生産のために、何 kg の原材料を購入すれば良いか決まっていません。

ここで、その企業の歩留まり平均値などを基に、「歩留まり率

80%」という前提条件を設定すると、原材料の重量は1.25kg(＝1÷0.8)と計算できます。歩留まりとは、原材料に対する製品の割合のことで、不良品や端材が減れば、歩留まりは高まります。そして、金属材料1kg当たりの排出原単位が1.9kg-$CO_2$であれば、その金属部品のScope 3カテゴリ1「購入した製品・サービス」の排出量は約2.4kg-$CO_2$(＝1.25×1.9)と算定することができます。

このように、製品開発段階で得られる情報から温室効果ガスを推計するためのロジックを検討し、算定します。

## 表3-3 製品開発段階における温室効果ガス算定イメージ

| Scope カテゴリ | 活動 | 算定方法 | 活動量 | 排出原単位 | GHG 排出量 |
|---|---|---|---|---|---|
| Scope 2 事業者による直接排出 | 電気の使用 | 現行製品と開発製品の見積り生産時間比率から、開発製品生産時の電気使用量が現行製品の90%と仮定して算定 | 電気 500kWh | 0.531 kg-$CO_2$/kWh | 265.5 kg-$CO_2$ |
| Scope 3 カテゴリ1 購入した製品・サービス | 原材料の調達 | 図面記載の部品重量を、現状の平均歩留まり率80%で割って、原材料の物量を導出し、算定 | 熱間圧延鋼材 100kg | 1.90 kg-$CO_2$/kg | 190 kg-$CO_2$ |
| | | 図面記載の部品重量を、現状の平均歩留まり率95%で割って、購入材料の物量を導出し、算定 | プラスチック製品 20kg | 1.95 kg-$CO_2$/kg | 39 kg-$CO_2$ |
| | | 現行製品との塗料面積比率から塗料購入量を算定 | 塗料 10kg | 2.30 kg-$CO_2$/kg | 23 kg-$CO_2$ |
| Scope 3 カテゴリ2 資本財 | 生産設備の増設 | 新製品開発に伴う設備投資金額から算定 | 投資金額 100百万円 | 3.44 kg-$CO_2$/百万円 | 344 kg-$CO_2$ |
| | | | | | |

また、製品開発段階で温室効果ガス排出量を算定するには、排出原単位テーブルを整備しておくことも有効です。排出原単位テーブルは以下の流れで作成します。ここでは、溶接工程における排出原単位

テーブルの作成方法を例に説明します。

1．工程ばらし

まず、工程を細かく分解し、温室効果ガス排出への影響を整理します。ロボットによるアーク溶接工程であれば、「段取り→溶接治具に部品セット→トーチを溶接部に移動→溶接→トーチを次の溶接部に移動→（繰返し）」といった工程に分解できます。そして、「トーチを溶接部に移動」「溶接」は溶接機の電気使用量に影響を与えることが分かります。

2．工程と設計諸元の関係整理

各工程と設計諸元の関係性を整理します。設計諸元とは、設計者がコントロールできるパラメータを指し、通常図面に記載されます。「溶接」に関する電気使用量は、「溶接長」といった設計諸元の影響を強く受けますし、「トーチを溶接部に移動」に関する電気使用量は、「溶接箇所数」といった設計諸元の影響を強く受けます。

3．データの取得

現行部品の設計諸元（溶接長、溶接箇所数など）と、溶接工程における温室効果ガス排出量データを取得します。

4．重回帰分析

取得したデータを用いて重回帰分析を行います。重回帰分析によって得られた計算式を排出原単位テーブルと呼び、設計諸元を代入することで、温室効果ガス排出量を算定することができます。重回帰分析はExcelを用いて実行できますので、専用ツールは必要ありません。

図 3-5　排出原単位テーブルの作成

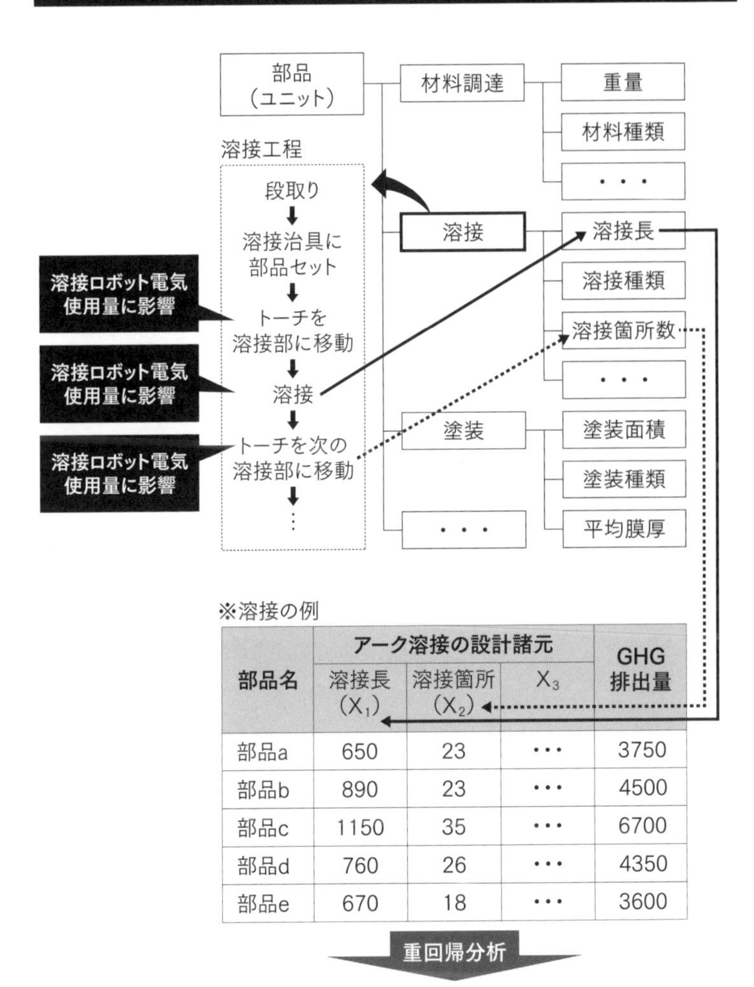


| 部品名 | アーク溶接の設計諸元 | | | GHG 排出量 |
|---|---|---|---|---|
| | 溶接長（$X_1$） | 溶接箇所（$X_2$） | $X_3$ | |
| 部品a | 650 | 23 | ・・・ | 3750 |
| 部品b | 890 | 23 | ・・・ | 4500 |
| 部品c | 1150 | 35 | ・・・ | 6700 |
| 部品d | 760 | 26 | ・・・ | 4350 |
| 部品e | 670 | 18 | ・・・ | 3600 |

溶接におけるGHG排出量＝$\beta_1 X_1 + \beta_2 X_2 + \beta_3 X_3$

設計諸元と温室効果ガス排出量の関係性が明らかな場合は、重回帰分析を行わずに、理論式をそのまま排出原単位テーブルとして活用できます。また、排出原単位テーブルを用いれば、設計諸元を変更した際の温室効果ガス削減量のシミュレーションも可能です。

製品開発段階における製品別温室効果ガス排出量の算定についてはご説明した通りですが、量産後に製品 CFP（カーボンフットプリント）として開示する際は注意が必要です。製品 CFP はあらゆるステークホルダーが様々な目的で活用するため、経済産業省と環境省が公表したカーボンフットプリントガイドラインや、Pathfinder Framework などの標準的なルールに則って算定しなければいけません。Pathfinder Framework とは、WBCSD（持続可能な開発のための世界経済人会議）が公表した、バリューチェーン全体で製品レベルの温室効果ガス排出量データを算出・交換するためのガイダンスです。

製品開発段階における温室効果ガス排出量の算定は、社内管理が目的で、開示する必要はありませんので、管理しやすい形で算定し、PDCA を回すことが重要です。

## 1台の製品に直接影響しない項目も算定する

製品開発現場には、製品に直接影響する温室効果ガス排出量の算定・削減だけでなく、製品に直接賦課できない項目も算定し、削減する責任があります。

その一つに、エンジニアリングチェーンの活動が挙げられます。エンジニアリングチェーンとは、製品開発における一連の業務プロセスのことで、製品の企画、開発・設計、工程設計、試作品用部品の調達、試作・試験などが含まれます。一例として、試作品を用いて社内で試験を行う場合、以下の温室効果ガス排出が考えられます。

試作図面の作成：Scope 3カテゴリ7「(開発担当者の) 通勤」
試作品用の部品購入：Scope 3カテゴリ1「購入した製品・サービス」
試験用設備の購入：Scope 3カテゴリ2「資本財」
設備を使用して社内で試験実施：Scope 2「電気使用による間接排出」
試作品の廃棄：Scope 3カテゴリ5「事業から出る廃棄物」

この場合、CAE (Computer Aided Engineering: 工学支援システム) などを活用して、コンピュータ上でのシミュレーションを増やし、実機評価を減らすことができれば、温室効果ガス排出量の削減につながります。

特に、製品の汎用性が低く個別生産品が多いメーカーや、研究開発に力を入れているメーカーでは、エンジニアリングチェーンにおける温室効果ガス排出量の占める割合が大きい傾向にありますので、エンジニアリングチェーンも対象範囲に含めて算定することが望ましいと言えます。

**図 3-6　サプライチェーンとエンジニアリングチェーン**

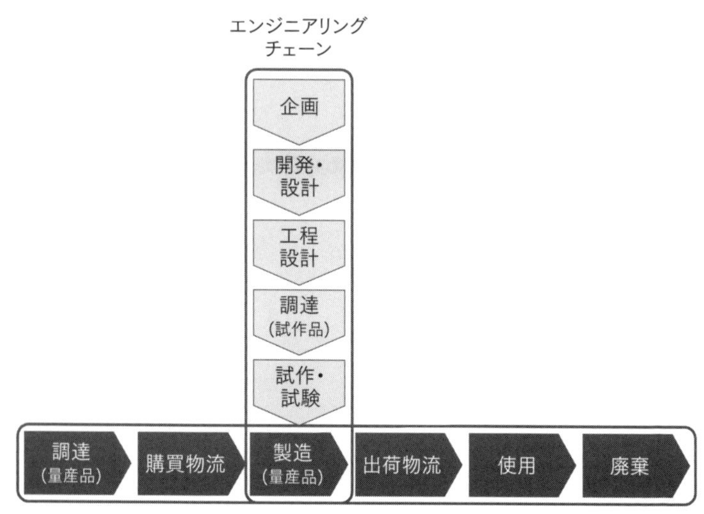


また、サプライチェーンにおける温室効果ガスでも、製品１台への直接的な影響を判断できない項目があります。

Scope 2「自社における電気の使用等による間接排出」を例に取ると、製品組立時に電気を利用して組立工具を使えば、電気を使った分の温室効果ガス排出量は、その製品１台へ直接的に影響していると判断できます。しかし、製品を組み立てる際には工場の照明や冷暖房も使います。照明や冷暖房は他製品の生産と兼用して使用することが多く、どの製品がどれだけ温室効果ガスを排出したか特定することが難しい項目です。

また、生産設備の整備やメンテナンスにおいても、電気の使用などにより、温室効果ガスが排出されます。共用設備でない限り、この排出量に影響を与える製品を特定することは可能ですが、製品１台への影響を判断できません。

製品開発現場が温室効果ガス削減に影響を及ぼしにくい項目は、算定労力・コストも考慮して、算定対象から除外することも選択肢の1つですが、そうでなければ、算定対象から除外せず、管理する必要があります。

なお、これらの排出量を算定する場合、目標販売台数や生産台数などで按分すれば、製品1台当たりの温室効果ガス排出量として算定できますが、このような管理は避けるべきです。なぜなら、按分された排出量の数値は全く意味を持たないからです。

例えば、十分に広い倉庫において、電気の照明によって排出される温室効果ガスを考えてみます。これを製品販売台数で按分するとどうなるでしょうか。ある製品Aの排出量の内訳を把握した結果、照明による温室効果ガス排出量が多かったとしても、製品単位で実行できる対策はほぼありません。なぜなら、このような温室効果ガス排出量の削減は、倉庫全体として考えるべき問題だからです。

また、製品A以外の販売台数が減った場合、製品Aの販売台数が変わらなくても、製品Aに按分される温室効果ガス排出量は増えてしまいます。これでは、温室効果ガス排出量の削減施策が悪かったのか判断できず、PDCAを回すことはできません。

したがって、このような排出量を管理する際は、製品別に按分せず、1つのまとまりとして管理することが望ましいと言えます。

## 算定精度を高める

製造業においては、以下2つのカテゴリにおける温室効果ガス排出量が比較的多いと述べました。

- Scope 3 カテゴリ 1「購入した製品・サービス」
- Scope 3 カテゴリ 11「販売した製品の使用」

そして、これらの算定精度が低いことが、社会的な課題とされています。

Scope 3 カテゴリ 1「購入した製品・サービス」の排出量においては、現在、多くの企業が、「サプライチェーンを通じた組織の温室効果ガス排出等の算定のための排出原単位データベース」などから引用・適用される二次データを排出原単位として用いて算定しています。

例えば、金属材料（熱間圧延鋼材）を 10kg 購入する場合、1kg 当たりの排出原単位が 1.9kg-$CO_2$ とデータベースに記載されていれば、温室効果ガス排出量は 19kg-$CO_2$ と算定できます。しかし、実際には、工場の屋根に太陽光パネルを設置して、再生可能エネルギーを用いて生産しているサプライヤーもあれば、全くカーボンニュートラルに取り組んでいないサプライヤーもあります。物量とデータベースから算定する場合は、どのようなサプライヤーから購入しても、温室効果ガス排出量は同じとされてしまい、サプライヤーの削減努力は反映されません。そのため、算定精度を高めるには、サプライヤーと密に連携して、排出量データを入手することが望ましいと言えます。

次に、Scope 3 カテゴリ 11「販売した製品の使用」の算定精度について考えます。現在、多くの企業は、標準的な使用シナリオ（製品の設計仕様及び消費者における製品の使用条件に関する仮定）を独自に設定して、算定しています。自動車 1 台当たりの温室効果ガス排出量を例に取ると、以下のようなシナリオが考えられます。

- 年間走行距離：10,000 km
- 燃費　　　　：10 km/L

- 耐用年数　　：10 年
- ガソリンの排出原単位：2.322 kg-$CO_2$/L

このシナリオでは、自動車1台当たりの温室効果ガス排出量は23,220 kg-$CO_2$ と算定されます。しかし、自動車の使われ方によって、排出量は当然変わってしまいます。都会で休日しか運転しない方であれば、年間走行距離は5,000 km 程度かもしれません。その場合、実際の排出量は、想定シナリオの半分になります。ドライバーが省燃費の運転を心がけても、算定される排出量には影響ありません。

そのため、算定精度を高めるには、製品にセンサを設けるなどして使用実態をモニタリングし、活動量データ（ガソリン使用量データなど）を入手することが望ましいと言えます。

しかし、Scope 3 カテゴリ 1「購入した製品・サービス」においても Scope 3 カテゴリ 11「販売した製品の使用」においても、製品が生産され、使用されてからでないと、一次データを用いた算定は不可能です。

製品開発段階で精度高く排出量を見積もるためには、まずはすでに販売されている製品に関する一次データを収集し、ある程度集まったら、前述した重回帰分析などの手法により排出原単位テーブルを作成・整備する必要があります。

製品にセンサを設けて、ユースケース（製品の使われ方）を把握することは、顧客ニーズの抽出に直結するため、新たなビジネス・サービスの創出にもつながる可能性があります。例えば、航空機エンジンメーカーでもあるGEでは、エンジンの各部にセンサを設けてデータを収集し、航空機の飛行中も自社エンジンの使用状況をモニタリングできるようにしました。そして、燃費がいい運航条件を解析して、運航制御ソフトを販売するサービスを創出しました。

建設機械メーカーのコマツでは、製品にセンサを設けて、稼働状況や機械の健康状態データを収集しました。そして、機械が故障する前にメンテナンスや交換部品手配を行うサービスを創出しました。

このように、製品の使われ方のデータを取得することで、製品使用時の排出量算定精度の向上だけでなく、新たな事業を創出し、脱炭素と利益向上の好循環を実現できる可能性が高まります。

## 特別コラム
## 欧州における温室効果ガス排出量の企業間共有

欧州では、Gaia-Xという統合データ基盤構築プロジェクトが進められています。企業間で排出量データをやり取りするためには、安全かつ効率的に、国の垣根を越えてデータを共有できる基盤構築が必要です。Gaia-Xは、このようなデータインフラの構築を目的として、2019年にドイツ主導で発足されました。また、Gaia-Xのデータエコシステムの1つとして、Catena-Xというプロジェクトも発足されています。これは自動車業界におけるサプライチェーン間のデータ連携を目的に発足されたものです。

さらに欧州では、EU電池指令の改正案で「バッテリーパスポート」の採用が合意され、2024年から順次適用される予定です。EV用バッテリーや電動自転車・スクーター用バッテリーに関して、原材料の採掘から生産、リサイクルに至るライフサイクルの各段階の情報が、統一されたデジタルプラットフォームで管理されなければなりません。バッテリーパスポートに記録される情報としては、材料や部品の生産者、性能、リサイクル再生材含有率、ライフサイクル炭素排出量、ライフサイクルにおける環境影響などが予定されています。

日本では、電子情報技術産業協会の Green × Digital コンソーシアムの見える化ワーキンググループにおいて、サプライチェーン全体での温室効果ガス排出量の見える化に向けたプラットフォームが検討されています。

これらのプロジェクトが進めば、企業間で排出量データを共有し、温室効果ガス排出量をより精度高く算定できるようになると思われます。特に、開示を目的として温室効果ガス排出量を算定する場合は、これらのプロジェクトの動きが企業活動に大きく影響を与える可能性があります。

# 3 シナリオ分析・戦略立案

## シナリオ分析により、気候関連リスク・機会に備える

カーボンニュートラル実現のための目標設定、戦略立案においては、温室効果ガス排出量などの内部環境だけでなく、企業を取り巻く気候関連リスク・機会といった外部環境も考慮する必要があります。

例えば、グリーンコンシューマーの増加が見込まれる国・地域で事業を展開している場合、より挑戦的な温室効果ガス削減目標を設定することで、販売量を増やせるかもしれません。また、事業を展開している国において炭素税が高まる懸念があれば、温室効果ガス削減量を増やし、支出を減らさなければいけません。

このように、気候関連リスク・機会を捉えることで、適切な目標の設定、ロードマップの策定につながります。

また、通常カーボンニュートラルの取り組みは、数十年という長期的な活動になります。「2050年カーボンニュートラル達成」という目標を設定した場合、今から30年弱の間に何が起こるか分かりません。世の中のカーボンニュートラルの取り組みが加速し、さらなる規制強化やグリーンコンシューマーの増加が見られるかもしれません。このように、社会全体がカーボンニュートラルに取り組み、世界の平均気温上昇の抑制に成功するシナリオを、「1.5℃シナリオ」あるいは「2℃シナリオ」と呼びます。

一方、世の中のカーボンニュートラルの取り組みが不十分で、台風や水害が頻繁に発生し、たびたび操業停止を強いられる恐れもありま

す。これらは、企業が事業を運営していく上で考慮しておかなければならない未来です。このように、世界の平均気温上昇を抑制できず、その影響が悪化し続けるシナリオを、「4℃シナリオ」と呼びます。

これらのような、自社に重大な影響のある気候関連リスク・機会を特定し、あらかじめ将来の変化に柔軟に対応できるようにしておくことで、企業のレジリエンスを高めることができます。カーボンニュートラル実現に向けた目標設定や、企業のレジリエンス強化のために、気候関連リスク・機会を分析して、対応方針を策定する手法をシナリオ分析と言います。TCFD が公表している「気候関連財務情報開示タスクフォースの提言 最終報告書」においても、シナリオ分析手法を用いて、気候関連リスク・機会が、事業、戦略、財務に与える影響を評価し、必要に応じて開示することが求められています。

気候関連リスク・機会を織り込むシナリオ分析は以下の手順で進めます。

STEP 1｜重要なリスク・機会の特定

STEP 2｜シナリオ群の定義

STEP 3｜事業インパクト評価

STEP 4｜対応方針の策定

ここからは、シナリオ分析の進め方について解説します。なお、環境省が公表する「TCFD を活用した経営戦略立案のススメ　～気候関連リスク・機会を織り込むシナリオ分析実践ガイド～」にも詳しく記載されていますので、ここでは要点を絞って解説します。

## 重要なリスク・機会を特定する

まず、自社を取り巻く気候関連リスク・機会を網羅的に洗い出し、その上で、重要なリスク・機会を特定します。

TCFD「気候関連財務情報開示タスクフォースの提言 最終報告書」では、気候関連リスクを、移行リスクと物理的リスクに分類しています。移行リスクとは、低炭素経済への移行に関するリスクのことで、政策・法的リスク、テクノロジーリスク、市場リスク、評判リスクに分類されます。例えば、炭素価格の上昇、低炭素技術導入によるコスト増加、エネルギー価格の高騰、エシカル消費の拡大による売上低減などがあります。

物理的リスクとは、気候変動による物理的変化に関するリスクのことで、台風や洪水によるサプライチェーン中断といった急性リスクと、海面上昇による工場浸水といった慢性リスクがあります。

気候関連機会には、資源効率、エネルギー源、製品/サービス、市場、レジリエンスの5つが提示されています。

このようなフレームを用いて、網羅的にリスク、機会を洗い出します。ただし、リスクと機会は表裏一体の関係にあります。そのため、リスク抽出プロセスと機会抽出プロセスを別々に進めるのではなく、まずは外部環境変化を把握し、それをリスクとして捉えるとどうか、機会として捉えるとどうかを検討するプロセスが効率的です。

気候関連リスク・機会を洗い出した後は、事業への影響度とリスクが現れる時期を見積もります。事業への影響度は、売上や費用などの財務指標への影響を考慮しながら、大・中・小といった形で評価します。リスクが現れる時期は、長期、中期、短期といった形で粗く評価します。

その評価結果に基づき、重要なリスク・機会を特定します。

**表 3-4　移行リスクの例**

| リスクの種類 | リスクの例 | 財務への潜在的な影響 |
| --- | --- | --- |
| 政策・法的リスク | ・GHG 排出価格の上昇<br>・排出量の報告義務の強化<br>・既存の製品およびサービスへのマンデート（受託事項）および規制<br>・訴訟にさらされること | ・運営コストの増加（例：コンプライアンスコストの増加、保険料値上げ）<br>・政策変更による資産の減価償却、減損処理、既存資産の期限前資産除去<br>・罰金と判決による製品やサービスのコストの増加や需要の減少 |
| テクノロジーリスク | ・既存の製品やサービスを排出量の少ないオプションに置き換えること<br>・新技術への投資の失敗<br>・低排出技術に移行するためのコスト | ・既存資産の償却および早期撤収<br>・製品とサービスの需要の減少<br>・新技術と代替技術の研究開発費（R&D）<br>・技術開発に向けた設備投資<br>・新しい実務慣行とプロセスを採用 / 導入するためのコスト |
| 市場リスク | ・顧客行動の変化<br>・市場シグナルの不確実性<br>・原材料コストの上昇 | ・消費者の嗜好の変化による商品とサービスの需要の減少<br>・原料価格（例：エネルギー、水）やアウトプット への要求事項（例：廃棄物処理）の変化による生産コスト上昇<br>・エネルギーコストの急激かつ予期せぬ変化<br>・収益構成と収益源の変化による収益減少<br>・資産の再評価（例：化石燃料埋蔵量、土地評価、有価証券評価） |
| 評判リスク | ・消費者の嗜好の変化<br>・産業セクターへの非難<br>・ステークホルダーの懸念の増大またはステークホルダーの否定的なフィードバック | ・商品 / サービスに対する需要の減少による収益の減少<br>・生産能力の低下による収益の減少（例：計画承認の遅延、サプライチェーンの中断）<br>・労働力のマネジメントと計画への悪影響による収益の減少（例：従業員の獲得と定着）<br>・資本の利用可能性の低下 |

出典：TCFD「気候関連財務情報開示タスクフォースの提言 最終報告書」

## 表 3-5　物理的リスクの例

| リスクの種類 | リスクの例 | 財務への潜在的な影響 |
| --- | --- | --- |
| 急性リスク | ・サイクロンや洪水などの極端な天候事象の過酷さの増加 | ・生産能力の低下による収益の減少（例：輸送の困難、サプライチェーンの中断）<br>・労働力への悪影響による収益の減少とコストの増加（例：健康、安全、欠勤） |
| 慢性リスク | ・降水パターンの変化と天候パターンの極端な変動<br>・上昇する平均気温<br>・海面上昇 | ・既存資産の償却および早期撤収（例：「危険性が高い」立地における所有物および資産への損害）<br>・運転コストの増加（例：水力発電所の水供給や原子力発電所や化石燃料発電所の冷却水の不足）<br>・資本コストの増加（例：施設の被害）<br>・売上 / アウトプットの低下による収益の減少<br>・保険料の増加、および「危険性の高い」立地にある資産に対する保険の利用可能性の低下 |

出典：TCFD「気候関連財務情報開示タスクフォースの提言 最終報告書」

表 3-6　気候関連機会の例

| 機会の種類 | 気候関連機会の例 | 財務への潜在的な影響 |
|---|---|---|
| 資源効率 | ・より効率的な輸送手段の使用（モーダルシフト）<br>・より効率的な生産および流通プロセスの使用<br>・リサイクルの利用<br>・高効率ビルへの移転<br>・水使用量と消費量の削減 | ・運営コストの削減（例：効率向上とコスト削減）<br>・生産能力の増加による収益の増加<br>・固定資産価値の上昇（例：エネルギー効率の評価が高い建物）<br>・労働力のマネジメントと計画（例：改善された健康と安全、従業員の満足度）によるコスト削減 |
| エネルギー源 | ・より低排出のエネルギー源の使用<br>・支援的な政策インセンティブの使用<br>・新技術の使用<br>・炭素市場への参入<br>・分散型エネルギー源への転換 | ・運営コストの低減（例：最低除去費用の活用による）<br>・将来の化石燃料価格上昇へのエクスポージャーの減少<br>・GHG 排出量の削減、したがって炭素費用の変化に対する感度の低下<br>・低排出技術への投資からの収益<br>・資本の利用可能性の向上（例：より排出量の少ない生産者を選好する投資家の増加）<br>・商品 / サービスに対する需要の増加につながる評判上のメリット |
| 製品とサービス | ・低排出商品およびサービスの開発および / または拡張<br>・気候適応と保険リスクソリューションの開発<br>・研究開発とイノベーションによる新製品またはサービスの開発<br>・事業活動を多様化する能力<br>・消費者の嗜好の変化 | ・排出量の少ない製品およびサービスの需要を通じた収益の増加<br>・適応のニーズに対する新しいソリューションを通じた収益の増加（例：保険リスク移転商品およびサービス）<br>・変化する消費者の嗜好を反映するための競争力の強化による収益の増加 |
| 市場 | ・新しい市場へのアクセス<br>・公共セクターのインセンティブの使用<br>・保険の付保を必要とする新しい資産と立地へのアクセス | ・新規および新興市場へのアクセスを通じた収益の増加（例: 政府、開発銀行とのパートナーシップ）<br>・金融資産の多様化（例：グリーンボンドやインフラ） |
| レジリエンス | ・再生可能エネルギープログラムへの参加とエネルギー効率化措置の適用<br>・資源の代替 / 多様化 | ・レジリエンス計画（例：インフラ、土地、建物）による市場評価の向上<br>・サプライチェーンの信頼性とさまざまな条件下での業務能力の向上<br>・レジリエンス確保に関連する新製品およびサービスを通じての収益の増加 |

出典：TCFD「気候関連財務情報開示タスクフォースの提言 最終報告書」

## シナリオ群を定義する

重要なリスク・機会を特定した後は、複数のシナリオを定義します。

気候変動問題は不確実性が高いため、想定し得る複数のシナリオを検討し、どのようなシナリオが現実になっても柔軟に対応できるように準備する必要があります。

そのためには、脱炭素経済へと移行が進む「1.5℃シナリオ」あるいは「2℃シナリオ」と、脱炭素経済への移行が進まない「4℃シナリオ」の、少なくとも2つのシナリオを考えます。「1.5℃シナリオ」、「2℃シナリオ」、「4℃シナリオ」の3通りを考えても構いません。

気温上昇を1.5℃以内に抑えるためには、2050年までにカーボンニュートラルを実現する必要があり、現在多くの国、企業は、1.5℃シナリオを辿ることを目標としています。

ここで、各シナリオの違いの例を見てみます。IPCC第6次評価報告書（AR6）統合報告書によると、産業革命以前では10年に1回しか発生しなかった極端な高温事象の発生頻度は、気温が1℃上昇した現在では2.8倍になっています。さらに、気温上昇幅が1.5℃だと4.1倍、2℃だと5.6倍、4℃だと9.4倍になります。気温が上昇すれば、大雨、洪水、干ばつなどにつながります。

2018年に西日本を中心に発生した「平成30年7月豪雨」では、多くの企業が多大なダメージを受けました。工場の浸水による操業停止、サプライチェーン分断による部品調達困難など、企業活動に支障をきたしました。シナリオによって、このような被害の発生頻度が大きく変わってきます。もし、1.5℃シナリオを辿ることができたとしても、頻度は、現在の約1.5倍（＝4.1÷2.8）になるため、1.5℃シナリオを選択しても物理的リスクを考慮しなければいけません。

移行リスクの例では、炭素価格の上昇が挙げられます。IPCC「1.5℃特別報告書」によれば、1.5℃シナリオにおける炭素価格最低ラインは、2030年135USD/t-$CO_2$、2050年245USD/t-$CO_2$と推計しています。

2℃シナリオの炭素価格最低ラインは、2030年15USD/t-$CO_2$、2050年45USD/t-$CO_2$であり、価格差に大きな乖離があることが分かります。

どのようなシナリオを選択するか決めたら、リスク・機会項目に関するパラメータの将来情報を入手します。例えば、炭素価格の上昇をリスクとして挙げている場合は、公表されている炭素価格予測値の情報を入手します。

図3-7　極端な高温事象の発生頻度

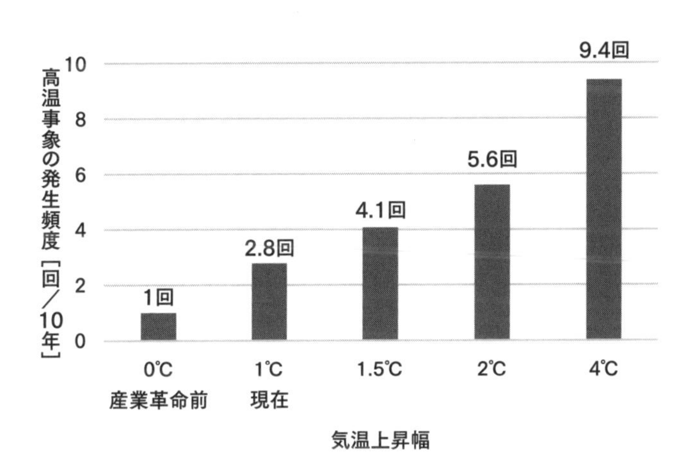


出典：IPCC「AR6統合報告書」に基づき、ITID作成

**表 3-7　シナリオ別の炭素価格最低ライン**

| | 2030 年 | 2050 年 | 2070 年 |
|---|---|---|---|
| 1.5℃シナリオ | 135 USD | 245 USD | 420 USD |
| 2℃シナリオ | 15 USD | 45 USD | 120 USD |

（$CO_2$ 排出量 1t 当たりの炭素価格）

出典：IPCC「1.5℃特別報告書」に基づき、ITID 作成

## 事業インパクトを評価する

定義したシナリオにおける、リスク・機会項目に関するパラメータ情報を入手した後は、影響を及ぼす財務項目を把握します。特定した重要なリスクや機会が、損益計算書の「売上」と「費用」のどちらに影響を及ぼすのか、貸借対照表に影響するかを、大まかに整理します。

先ほどの水害リスクの例であれば、生産停止に伴う被害額や、被害抑制のための保険料など、「費用」への影響が考えられます。

その後、算定式を検討し、財務的影響を試算します。自社への財務影響は、外部情報だけでは算定できないため、内部情報と外部情報を組み合わせて算定式を検討します。

例えば、「2030 年までの原材料のコスト増加」をリスクと捉える場合、2030 年までの売上目標や生産数量目標から、「2030 年の原材料調達量」という内部情報を推計し、これに、鋼材価格予測値などの外部情報を掛け合わせます。

最後に、ウォーターフォールグラフなどを作成して、事業インパクトを評価します。気候関連リスク・機会が発生しないと仮定した利益を基準に、各リスク・機会に伴う売上・費用の増減を可視化すること

で、「事業インパクトが大きいリスク・機会は何か」、「気候変動により将来の事業展望はどの程度脅かされるか」などを把握することができます。

このように事業インパクトを可視化することは、環境意識の改革にもつながります。環境問題への取り組みを、企業ブランド向上のためのボランティア活動のように捉えている企業も未だ散見されます。「カーボンニュートラルは儲かるのか」と聞かれることもありますが、その答えを出すのが事業インパクト評価です。

シナリオ分析を通じて、気候変動問題が自社の売上・利益に与える影響が分かれば、「カーボンニュートラルに取り組まないと利益が減って、倒産するかもしれない」、「役員報酬をカットされるかもしれない」など、自分ゴト化して捉えられるようになります。反対に、気候変動問題に取り組むことによる、売上向上のチャンスも把握できます。

なお、事業インパクトを評価する際は、精度を追いすぎないことに留意します。気候変動問題に関する将来の不確実性は高く、精度が高い試算は困難ですので、部品ごと、工程ごとなど細かく分析するのではなく、全体感を把握することが大切です。

図 3-8　1.5℃シナリオにおける事業インパクト評価の例

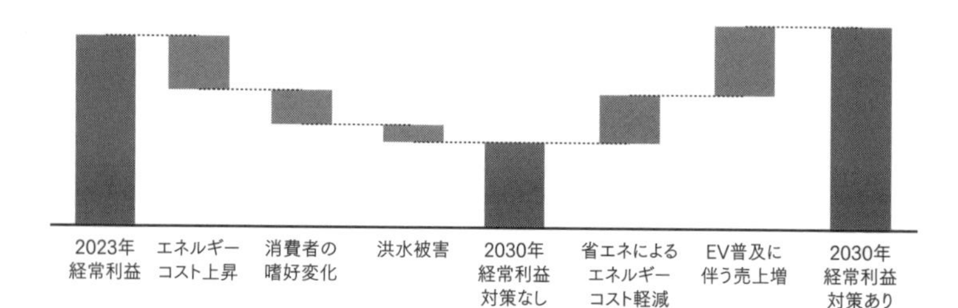


## 対応方針を策定する

最後に、事業インパクトの大きいリスク・機会への対応方針を検討します。例えば、炭素価格上昇のリスクがあれば、自社の排出量（Scope 1、Scope 2）を削減する対策方針が考えられます。水害による影響でサプライチェーンが分断されるリスクがあれば、複数のサプライヤーから調達できるように体制を整えておく対策方針が考えられます。脱炭素経済への移行に伴う新たな事業機会も多くありますので、新市場に参入する方針もあり得るでしょう。

また、今すぐアクションを起こす必要がないリスク・機会についても、あらかじめ対策方針は立てておき、どのようなトリガーによりアクションを起こすか決めておきます。

このように、気候関連リスク回避策・機会獲得策を検討することで、企業のレジリエンスを高めることができます。

なお、対応方針はできるだけ関連部門を巻き込みながら検討することが肝要です。例えば、新たな販路拡大機会が見られれば、マーケティング部門と共同で検討を進めることで、実作業へのスムーズな移行が期待でき、さらにはマーケティング部門の意識向上にもつながります。

また、関連部門を巻き込むことで、現状の活動との整合も取りやすくなります。規模の経済獲得のために、サプライヤー数を絞る活動を調達部門が進めていた場合、サプライチェーン分断リスクの回避のために、複数のサプライヤーから調達できる体制を整えようとすると不整合が生じます。不整合が見える化されれば、「電子部品のサプライヤー数は２～３社とする」など、整合の取れた対応方針を考えやすくなります。

また、対応方針は中期経営計画とも連動させなければいけません。気候変動問題への対応方針と中期経営計画の間で何らかの背反があれば、優先順位が分からなくなってしまうためです。

コーポレートガバナンス・コードが改訂され、プライム市場上場企業に対して、TCFD の提言に基づく開示が実質的に義務化されたことで、今や多くの企業が気候関連リスク・機会を統合報告書やサステナビリティレポートで開示しています。シナリオ分析の進め方に悩んだら、近い業種の事例を参考にすると良いでしょう。

## 図 3-9 日立製作所のリスク・機会

① 脱炭素経済への移行リスク(主に1.5℃シナリオに至るリスク)

| カテゴリー | 主なリスク | リスクが現れる時期 | 影響度 | 主な取り組み |
|---|---|---|---|---|
| 政策および法規制 | 炭素税、燃料・エネルギー消費への課税、排出権取引などの導入に伴う事業コスト負担増 | 短期～長期 | 中 | ●化石燃料を使用する事業から使用しない事業への転換。カーボンニュートラル達成に向けた活動の推進<br>●生産、輸送などのさらなる効率化、非化石燃料由来のエネルギー利用促進による事業コスト増の回避。日立インターナルカーボンプライシング(HICP)導入による省エネルギー機器の導入推進 |
| 技術 | 脱炭素社会に向けた製品・サービスの技術開発の遅れによる、販売機会の逸失 | 短期～長期 | 中 | ●長期目標の達成につながる革新的製品・サービスの開発・拡販や脱炭素ビジネスの拡大により、$CO_2$排出量の削減に貢献<br>●製品・サービス設計時に「環境配慮設計アセスメント」を実施し、省エネルギー・低炭素製品の開発を推進 |
| 市場・評判 | 気候変動問題への取り組み姿勢への評価や市場の価値観の変化による売上の影響 | 中期～長期 | 小 | ●環境長期目標「日立環境イノベーション2050」でカーボンニュートラルの目標を策定。COP26に参加し、脱炭素社会の実現を支える先進技術や取り組みを世界に発信 |

② 気候変動の物理的影響に関連したリスク(4℃シナリオに至るリスク)

| カテゴリー | 主なリスク | リスクが現れる時期 | 影響度 | 主な取り組み |
|---|---|---|---|---|
| 急性的・慢性的な物理的リスク | 気候変動の影響と考えられる気象災害、例えば台風や洪水、渇水などの激化(急性リスク)や、海面上昇、長期的な熱波など(慢性リスク)による事業継続のリスク | 短期～長期 | 中 | ●工場新設時には洪水被害を念頭に置いて立地条件や設備の配置などを考慮する。今後、現在実施している水リスク評価の結果をもとに、製造拠点ごとの水リスクに応じた対策を強化 |

出典：株式会社日立製作所「日立 サステナビリティレポート 2022」

# 4 ロードマップ策定・現場目標への落とし込み

## 目標設定において見られがちな例

現状の温室効果ガス排出量や、企業を取り巻く気候関連リスク・機会を分析した後は、目標を設定し、目標達成に向けたロードマップを策定します。

まずは、目標設定・ロードマップ策定において、やってしまいがちな悪い例を説明します。

### 悪い例①｜長期目標が、短中期目標に落とし込まれない

昨今、カーボンニュートラル実現年の目標を設定し、公開する企業が増加しています。しかし、中には、2050年までにカーボンニュートラルを実現することだけが長期目標として掲げられ、2030年までの温室効果ガス削減量目標や、足元の中期経営計画におけるアクションプランが曖昧な企業が散見されます。

これでは、企業活動は何も変わりません。短期的な利益目標など、これまでと同じKPI（重要業績評価指標）が優先され、業務プロセスも投資判断基準も変わることなく、企業活動が行われることになります。

### 悪い例②｜事業計画と分離された目標設定

ある中小企業では、2030年までの温室効果ガス削減量の目標値を設定し、年次目標・月次目標に分解して管理していました。短期目標を設定している点では優れた企業でしたが、この企業の温室効果ガス

は、削減されるどころか増えてしまっていました。というのも、この企業が販売した新製品がヒットし、生産量が伸びていたからです。製品の生産量・販売量が増えれば、生産活動における電気使用量も増えますし、材料調達による排出量、製品使用による排出量も増えます。

製品の生産量・販売量を無視して、温室効果ガス排出量のみで目標管理してしまった結果、これまで実施してきた温室効果ガス削減活動の良し悪しを判断できず、PDCAを回せない状況に陥ってしまっていました。

また、この企業では、温室効果ガス排出量目標と利益目標がそれぞれ独立して掲げられていたため、相反する意思決定が必要になった場合に、現場はどちらを優先すれば良いか判断できない状況にも陥っていました。例えば、新たな事業の投資において、以下２つの案があった場合に、どちらを選択すれば良いか分からないのです。

- **温室効果ガス排出量は少ないが、見込める利益も少ない事業**
- **温室効果ガス排出量は多いが、見込める利益が多い事業**

このような問題は、この企業だけに限ったことではなく、多くの企業で見受けられます。

### 悪い例③｜曖昧な現場目標

最後に紹介するのは、企業としてカーボンニュートラル実現年の目標や、2030年までの温室効果ガス削減量の目標を設定しても、その企業目標が現場の取り組み指標に落とし込まれないケースです。

現場の目標が曖昧だと、カーボンニュートラル実現に向けて、開発部門や生産部門は何をすれば良いか、何を目指せばよいか分からず、具体的な活動計画を策定することは困難です。

# カーボンニュートラル実現までのマイルストーンを定める

ここからは、このような問題に陥らないための、目標設定・ロードマップ策定の方法について解説します。

目標を設定する際は、企業を取り巻くあらゆるステークホルダーの声や社会動向に気を配る必要があります。

経営者の想いやビジョン、温室効果ガス削減要請を出す取引先、環境に良い製品を購入しようとするグリーンコンシューマー、エコ商品で差別化を図る競合企業、ESG投資を積極化させる金融機関や機関投資家、CDPやTCFDなどの国際イニシアチブ、カーボンニュートラルに向けた政策や規制を推し進める各国政府などの動向を把握し、目標を設定します。前述した、重要度の高い気候関連リスク・機会も考慮しなければいけません。

また、カーボンニュートラル実現年の目標だけでなく、マイルストーンを定めることも重要です。日本でも2050年カーボンニュートラル実現、2030年までに温室効果ガス排出量の2013年比46%減を目標としています。表3-8に示すように、多くの企業がScope 1、2排出量、Scope 3排出量それぞれの2030年までの削減目標を定めて、開示しています。

## 表 3-8　企業の 2030 年目標の例

| 企業 | 2030 年目標 |
|---|---|
| 日立建機 | 2010 年度比 45％ 削減（Scope 1、2）<br>2010 年度比 33％ 削減（Scope 3） |
| 小野薬品工業 | 2017 年度比 55％ 削減（Scope 1、2）<br>2017 年度比 30％ 削減（Scope 3） |
| リコー | 2015 年度比 65％ 削減（Scope 1、2）<br>2015 年度比 40％ 削減（Scope 3） |
| 味の素 | 2018 年度比 50％ 削減（Scope 1、2）<br>2018 年度比 24％ 削減（Scope 3） |
| キリンホールディングス | 2015 年度比 30％ 削減（Scope 1、2）<br>2015 年度比 30％ 削減（Scope 3） |
| YKK AP | 2013 年度比 50％ 削減（Scope 1、2）<br>2013 年度比 30％ 削減（Scope 3） |
| 日清食品 | 2018 年度比 30％ 削減（Scope 1、2）<br>2018 年度比 15％ 削減（Scope 3） |

出典：各企業の公開情報を基に ITID 作成

2030 年目標を設定する場合も、関連するステークホルダーの動向を押さえておく必要があります。

例えば、2021 年、トヨタ自動車では直接取引する主要部品メーカーに対し、前年比 3％ の温室効果ガス排出量低減を要請しました。2023 年から年間 3％ 減を継続すれば、2030 年までに 22％ 削減されることになります。トヨタ自動車の下請け企業は、この数値を考慮して目標を設定する必要があります。

自動車部品メーカーであれば、日本自動車部品工業会の目標値も参考になります。日本自動車部品工業会では、2007 年を基準とし、2030 年までに 28.6％ 削減することを目指しています。

また、第 1 章で説明した SBTi（Science Based Targets initiative）では、表 3-9 に示す目標レベルを推奨しています。通常の SBT 基準はハードルが高いと感じる中小企業も多いと思いますが、中小企業版

SBTの目標レベルも設定されていますので、こちらに従うのも良いでしょう。

**表3-9 SBTの目標設定レベル**

| | 中小企業版SBT | 通常SBT |
|---|---|---|
| 対象 | ・従業員500人未満<br>・非子会社<br>・独立系企業 | 特になし |
| 目標年 | 2030年 | 公式申請年から、5年以上先、10年以内の任意の年 |
| 削減対象範囲 | Scope 1、2排出量 | Scope 1、2、3排出量<br>※Scope 1、2、3合計の40%を超えない場合は目標設定不要 |
| 目標レベル | ● Scope 1、2<br>少なくとも年4.2%削減<br>● Scope 3<br>算定・削減すること<br>（特定の目標基準なし） | 下記水準を超える削減目標を任意に設定<br>● Scope 1、2<br>少なくとも年4.2%削減<br>● Scope 3<br>少なくとも年2.5%削減 |

出典：SBTホームページ情報を基にITID作成

また、温室効果ガス削減目標を設定する際は、目標年までの事業の拡大を考慮する必要があります。事業拡大を前提とした場合、仮に温室効果ガス排出量の削減活動を何もしなければ、温室効果ガス排出量は増えることになります。これをBAU（Business as usual; 現状趨勢）シナリオと呼びます。

前述の通り、製品の生産量・販売量が増えれば、温室効果ガス排出量は増えます。しかし、事業拡大に伴う温室効果ガス上昇量を考慮せずに目標を設定してしまうと、温室効果ガス削減計画が不十分になってしまう恐れがあります。

図3-10に2030年までのBAUと、温室効果ガス削減目標の推移を

図示しています。現状と2030年目標との差分（$\alpha$）を削減目標としてしまうと、（$\beta - \alpha$）分だけ削減量が足りなくなってしまいます。したがって、現状と2030年目標との差分から削減活動計画を立案するのではなく、BAUと2030年目標の差分（$\beta$）から、温室効果ガス削減計画を立案する必要があります。

**図 3-10　目標設定の考え方**

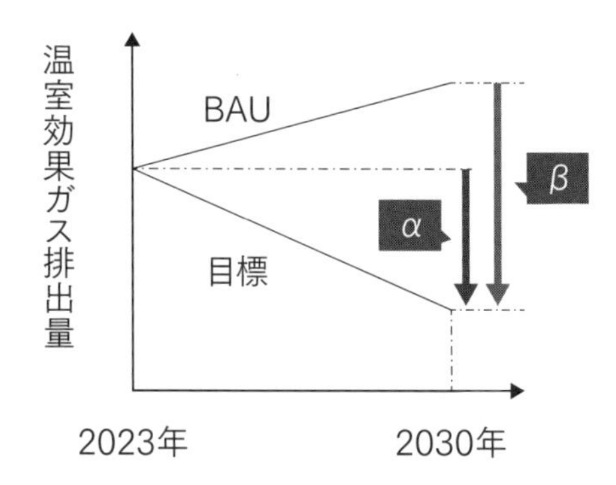


本書では、カーボンニュートラルに着目して解説していますが、環境問題は地球温暖化問題だけではありません。水資源の枯渇対応、生物多様性の確保、人体への影響物質の削減など、様々な課題があります。さらに、SDGsの観点まで拡げて考えると、食品ロスの削減、女性の活躍など、課題は山積みです。このように、カーボンニュートラル以外の環境問題やSDGsも考慮して、目標を設定することが社会から求められています。

## “GHG効率”で目標を管理する

企業は何のために存在するのでしょうか。

「利益を上げるため」、「より環境負荷の小さい商品・サービスを提供するため」、「従業員に働く場所や働く意義を与えるため」、「株主に適正な配当金を支払うため」など、企業によって色々な考え方がありますが、少なくとも企業の温室効果ガス排出量削減だけを目的としているわけではありません。温室効果ガス排出量を削減しながら、経済価値、社会価値、組織価値といった提供価値を高めることで、企業価値を高めることができます。そのため、目標を管理する際も、温室効果ガス削減量だけを管理するのではなく、提供価値も考慮しなければいけません。

先ほどご紹介した企業では、温室効果ガス削減量のみで目標達成状況を管理してしまった結果、温室効果ガス削減活動の良し悪しを判断できず、PDCAを回せませんでした。

提供価値を考慮しながら温室効果ガス排出量目標を管理するには、「GHG効率」という指標が有用です。GHGは温室効果ガス（Greenhouse Gas）の略です。

GHG効率は、以下の式で表されます。

$$\text{GHG効率} = \frac{\text{提供価値}}{\text{温室効果ガス排出量}}$$

式中の「提供価値」は、GHG効率の適用先の粒度によって異なります。企業レベルであれば、「提供価値」は「企業が提供する社会的価値」と読み替えることができ、売上高、営業利益、付加価値額、生産量などを用いることができます。製品レベルであれば、「提供価値」は「製品・サービスの便益」と読み替えることができ、製品のスペックや価格などを用いることができます。分母は、Scope 3を含むサプライチェーン排出量を用いることが望ましいと言えます。

企業レベルのGHG効率

$$\text{GHG効率} = \frac{\text{企業が提供する社会的価値}}{\text{企業の温室効果ガス排出量}}$$

製品レベルのGHG効率

$$\text{GHG効率} = \frac{\text{製品・サービスの便益}}{\text{製品・サービスの温室効果ガス排出量}}$$

先述の企業の例では、企業レベルのGHG効率の分子に「生産量」を用いて目標を管理すれば、生産量が増えたことによる温室効果ガス上昇の影響を除くことができます。したがって、温室効果ガス削減活動の良し悪しを判断でき、PDCAを回せるようになります。

次に、製品レベルでGHG効率を適用する方法を、太陽光パネルの開発を例にご説明します。太陽光パネルの便益は多数ありますが、重視されるものの1つがモジュール変換効率です。モジュール変換効率とは、太陽光パネル単位面積当たりの変換効率のことで、太陽光パネルの発電能力を表す指標です。

ここで、旧製品と比較して、新製品の方が、温室効果ガス排出量が少しだけ増える代わりに、モジュール変換効率が大幅に向上されるケースを考えるといかがでしょうか。

図3-11に示す通り、温室効果ガス排出量のみで管理される場合、

新製品は販売するべきではありませんが、「モジュール変換効率」を分子としてGHG効率を計算すると、新製品の方が優れていることが分かります。

モジュール変換効率が高い太陽光パネルは、パネル設置スペースが限られている企業ニーズや、化石燃料からの脱却を図る社会のニーズに応えることができます。

**図3-11　GHG効率の算出例**

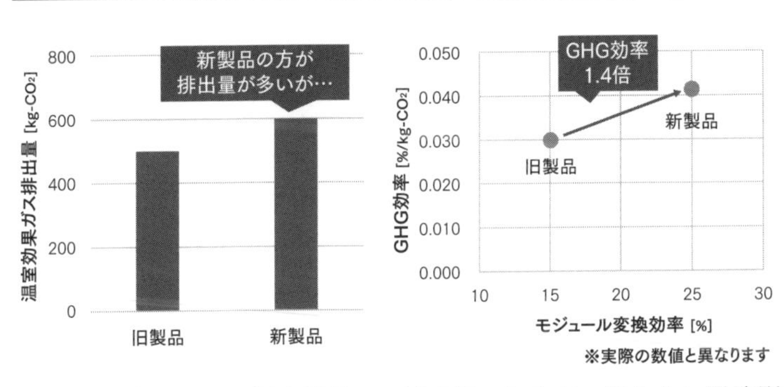

※実際の数値と異なります

GHG効率の分母は温室効果ガス排出量でしたが、代わりに環境影響の統合化指標を用いることもできます。統合化指標とは、地球温暖化、酸性化、大気汚染、資源枯渇などによる環境影響を統合して評価する単一指標のことで、有名なものとしては、LIME、JEPIX、EPSなどがあります。このように、分母を環境負荷、分子を提供価値とした効率指標を環境効率と呼び、GHG効率は環境効率の1つです。

留意点として、GHG効率や環境効率のみで目標管理してしまうことは避けなければいけません。なぜなら、「提供価値を高めさえすれば、温室効果ガス排出量を削減しなくても良い」という誤解を生みかねないためです。温室効果ガス排出量とGHG効率の双方を管理し、企業や製品の提供価値向上と、温室効果ガス削減を同時に目指すことが、社会から求められるのです。

## 利益目標と温室効果ガス排出量目標を連動させる

先ほど、温室効果ガス排出量目標と利益目標をそれぞれ独立して掲げてしまう例をお伝えしました。この問題を解決するには、インターナルカーボンプライシングを導入することが有効です。

インターナルカーボンプライシングとは、低炭素投資・対策推進に向け、企業内部で独自に設定、使用する炭素価格のことで、内部炭素価格とも呼ばれます。日本において、単位は円/t-$CO_2$で表されます。

CDPでは、2015年からインターナルカーボンプライシング導入の有無が気候変動質問書に追加されました。また、2022年10月に公表されたTCFDガイダンス3.0では、開示推奨項目にインターナルカーボンプライスが追加されました。このような動きもあり、近年インターナルカーボンプライシング導入企業が急増しています。

インターナルカーボンプライシングは、省エネ推進へのインセンティブ、収益機会とリスクの特定、投資意思決定の指針などに活用されますが、ここでは、目標設定の活用についてご説明し、投資意思決定などにおける活用方法や、導入手法は第4章で解説します。

インターナルカーボンプライシングを用いて、温室効果ガス排出量をコストに換算すると、利益目標と温室効果ガス排出量目標を連動させることができます。

まず、温室効果ガス排出量にインターナルカーボンプライシングを掛け合わせ、温室効果ガス排出コストを導出します。そして、売上から、費用、温室効果ガス排出コストを引いて、利益を算出します。このようにして利益目標を設定することで、温室効果ガス排出量と利益が相反する意思決定においても、現場は優先順位を自ら判断できるようになります。昨今は、温室効果ガス排出コストも考慮した利益目標を設定し、これを役員報酬と連動している企業も増えてきました。このように、目標を評価体系とも連動させることで、カーボンニュートラル実現に向けて行動変容を促すことができます。

図 3-12　インターナルカーボンプライシング（ICP）を活用した業績目標管理

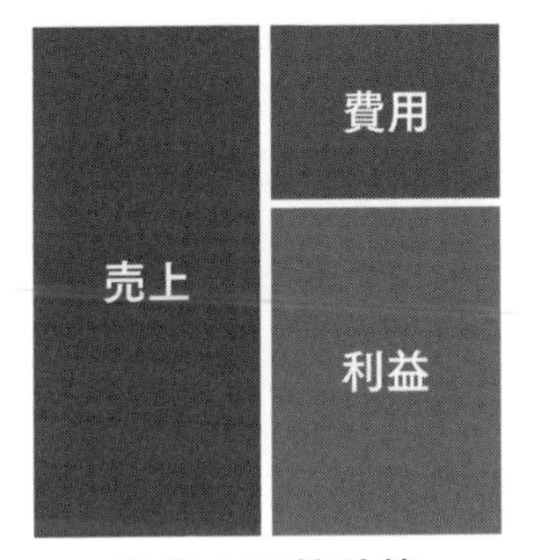


通常の利益計算

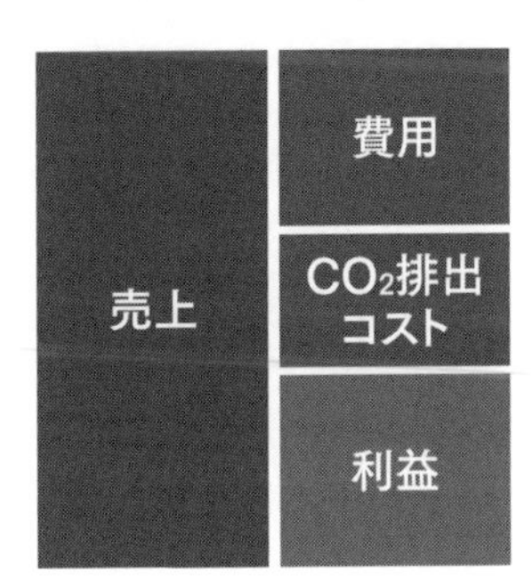


ICP導入後の利益計算

## 現場目標に落とし込む

ここまで、企業レベルの目標設定について説明してきましたが、温室効果ガス削減活動を実行するのは、開発部門や生産部門などの現場部門の方々です。しかし、まだまだ現場部門は、環境問題に対して十分に取り組めていない企業が多いようです。例えば、製品設計部門であれば、「新機能を実現するためにどのような設計にするか」、「品質問題を出さないためにどのような設計にするか」、「製品コストを削減するためにどのような設計にするか」といったことに日夜思考を巡らせています。環境問題への対応としては、「欧州で販売するために、RoHS 指令で定められた環境負荷物質を使用しない設計にする」など、制約条件としか見なさないケースが多く、「どのような設計をすれば、温室効果ガス排出量が減るのか」を十分に理解している技術者は多くありません。

そのため、カーボンニュートラルを実現するために、現場はどのような KPI を目指して、何を実行しなければいけないかを、明確にする必要があります。

例えば、環境活動を積極的に行う企業として有名なソニーでは、環境負荷ゼロを目指し、2025 年までの環境中期目標「Green Management 2025」を定めています。2025 年に向けた重点項目の 1 つとして、製品の省エネ化・省資源化の推進を掲げ、具体的に以下の KPI を設定しています。

- 新たに設計する小型製品のプラスチック包装材全廃
- 製品 1 台当たりのプラスチック包装材使用量 10% 削減（2018 年度比）
- 製品（包装材を除く）1 台当たりのバージンプラスチック使用量 10% 削減（2018 年度比）
- 製品 1 台当たりの年間消費電力量 5% 削減（2018 年度比）

また、ヘルスケア機器メーカーのフィリップスでは、サーキュラーエコノミーをビジョンの中心に置いています。サーキュラーエコノミーとは、これまで経済活動のなかで廃棄されていた製品や原材料などを「資源」と考え、リサイクル・再利用などで活用し、資源を循環させる、新しい経済システムのことです。詳細は第4章で後述しますが、フィリップスでは、過去に以下のような目標を設定していました。

- ■ 2020年までに15%の売上をサーキュラーエコノミーに基づいたソリューションから生み出すこと
- ■ 2025年までに売上の95%を持続可能性に関連したものから生み出すこと
- ■製造過程で出るごみの90%はリサイクルし、埋め立てるごみをゼロにすること

また、自社のカーボンニュートラル達成目標だけではなく、気候関連リスク回避、機会獲得によるレジリエンス強化も考慮します。例えば、電子部品メーカーが電気自動車の普及を機会と捉え、電気自動車向け部品の販売比率を高める目標を設定することなどが挙げられます。

このように、企業の目標や方針を、現場が分かりやすい形で見える化することが、温室効果ガス削減活動を進めるための第一歩です。企業方針の達成度合いを示すKPIを決めたら、次は部門ごとに目標を落とし込みます。開発部門であれば、「ある製品使用時の1台当たりの消費電力量」、生産部門であれば、「ある製品生産時の1台当たりのエネルギー消費量」などに分解します。

注意点としては、管理可能KPIと管理不能KPIをしっかり分け、目標責任を明確にすることです。例えば、生産部門の目標として、「製品生産時の廃棄量」と設定してしまうと、生産台数に依存してしまいます。これは営業部門責任によるところも大きいため、「製品生産時の廃棄率（廃棄量/生産量）」などを目標として設定します。

また、方針・目標を決める際は、経営層と現場部門が対話すること

が重要です。「経営は現場を知らない」、「現場は経営を知らない」というのは多くの企業でよく見られます。そのような状態で、企業方針や現場目標を設定しても、現場がやり切れない企業方針、温室効果ガス削減にあまり寄与しない現場目標になってしまいがちです。このような分断を避けるためにも、経営と現場がしっかり対話して、その企業に合った方針・活動を決める必要があります。

## 図 3-13　現場目標への落とし込み

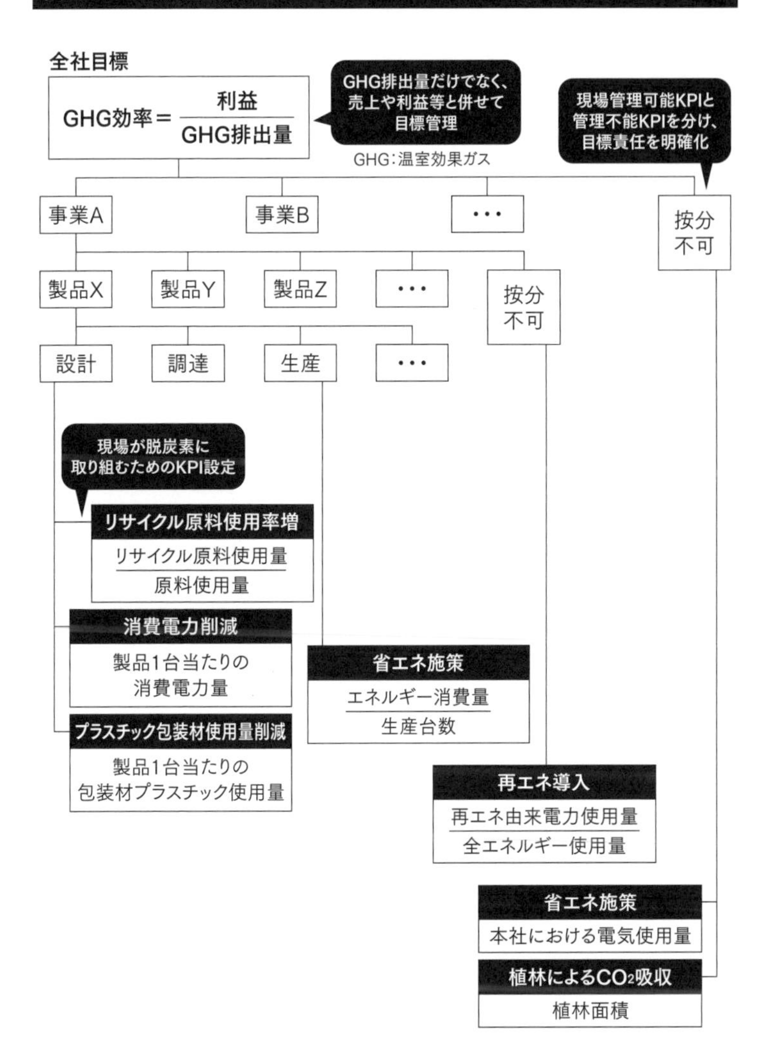

## 絵に描いた餅で終わらせない

目標は、「定めて終わり」ではなく、「活動の始まり」です。目標に向かって全社一丸となって活動するためには、目標をシンプルに分かりやすく表現し、関係者全員で共有しなければいけません。目標が共有されて初めて、行動として表れ、結果に結びつきます。その際、目標設定における前提や経緯も含めて共有すると、納得感が増し、より従業員の行動変容が起きやすくなります。

また、時には目標の見直しも必要です。カーボンニュートラル実現には長い期間がかかるため、その間に外部環境にどのような変化が起きるか分かりません。SBT では、少なくとも5年に1回は目標を見直すことを提言しています。取引先の動向、規制の動向、炭素価格の動向、技術革新の動向など、目標設定における前提となった外部環境情報、内部環境情報を注視し、必要に応じて目標を見直します。

# CHAPTER 4

# 有効な対策を立案する

# 1 温室効果ガス低減手段の検討

## 3つの対策方針

現状を把握し、目標を設定した後は、対策を検討します。対策は、戦略や目標によって変わります。例えば、自社サプライチェーンにおける温室効果ガス排出量を削減する場合は、工程改善や製品改良といった手段を採ることができます。GHG 効率の分子である提供価値は変わりませんが、分母である温室効果ガス削減に寄与します。

温室効果ガス排出量削減だけでなく、廃棄物削減、資源の有効活用なども環境目標に定める場合は、サーキュラーエコノミーに移行する方針が適しています。温室効果ガス削減に寄与すると同時に、新たなビジネスモデルを構築し、提供価値を高められる可能性があります。

また、気候変動問題を新たな機会と捉えて、攻めの姿勢で事業拡大を図る場合は、気候関連の新たな事業を創出する方針が良いでしょう。

ここからは、表4-1に示す3つの方針について、それぞれ解説します。

表 4-1　3つの対策方針

| 対策方針 | 狙い | GHG 排出量 | 提供価値 |
|---|---|---|---|
| 工程改善・製品改良などによる温室効果ガス排出量の低減手段検討 | ・自社サプライチェーンにおける温室効果ガス削減　など | ↓ | - |
| サーキュラーエコノミーの実現 | ・自社サプライチェーンにおける温室効果ガス削減<br>・資源消費の最小化、廃棄物削減<br>・新たなビジネスモデルの構築　など | ↓ | ↑ |
| 気候関連の新たな事業を創出 | ・新たな社会価値の提供<br>・新たな収益源獲得　など | ↑ | ↑ |

## 温室効果ガス削減の基本的な考え方

温室効果ガス排出量の低減策を検討する際は、まず、削減の基本的な考え方を理解する必要があります。温室効果ガス削減の方向性として、以下の切り口で考えると、低減策を検討しやすくなります。

① 省エネの促進
例：LED 照明の導入など

② 再生可能エネルギー導入
例：太陽光パネルの利用など

③ 電化の促進
例：電気自動車の利用など

**図 4-1　温室効果ガス削減の基本的な考え方**

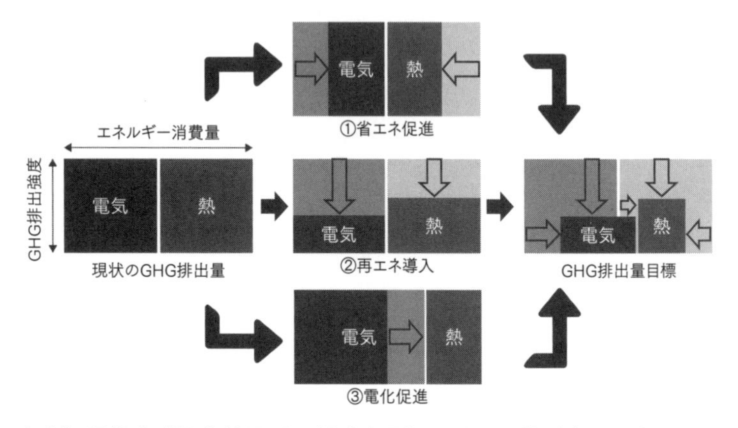


出典）環境省「温室効果ガス削減中長期ビジョン検討会とりまとめ」(2015) を参考に、ITID 作成

この考え方は、自社の温室効果ガス排出量（Scope 1、2）に限ったものではありません。例えば、製品開発者の視点で考えると、サプライヤーでの排出量を減らすための省エネ施策として、部品を小型化し、生産時間を短くすることなどが考えられます。製品使用時の排出量を減らすための再エネ導入施策としては、製品に小型太陽光パネルを設けることなどが考えられます。

また、温室効果ガス排出量削減のためには、以下の切り口も有効です。

①　活動量を下げる

例：電力消費量低減、製品に使用される材料使用量低減など

②　排出原単位を下げる

例：再エネ導入、製品に使用される部品材質変更など

第3章で解説した通り、温室効果ガス排出量は、「活動量×排出原単位」の式で計算されます。Scope、カテゴリごとに活動量と排出原単位を一覧にしておき、ボトルネックとなる活動量や排出原単位を下げることを意識します。

このように、温室効果ガス削減のための基本的な考え方を理解しておくことで、低減策を検討しやすくなります。

## 温室効果ガス削減メカニズムを理解する

次に、自社サプライチェーンにおける温室効果ガスの削減メカニズムを理解します。そのために、Scope、カテゴリごとに、温室効果ガスの排出原因となるパラメータを分解して考えます。

例えば、Scope 2「電気の使用に伴う間接排出」を減らすために、生産部門が鋼板プレス時の電力消費量削減を検討する際、「プレス設備の消費電力量を下げる」、「プレス設備の稼働時間を短縮する」と、製造諸元に分解して考えます。さらに開発部門は、「部品の肉厚を薄くする」、「曲げ加工がない形状にする（曲げ工程が発生しないようにする）」、「部品を小型化する（1工程で複数の部品を生産できるようにする）」と、設計諸元に分解して考えます。

このように、温室効果ガス排出量の各要素（活動量や排出原単位）の関連パラメータをツリー形式で分解・整理したものをGHGツリーと呼びます。GHGツリーを作成しておくことで、開発部門、製造部門、調達部門、物流部門などの担当者は、どの諸元を改善すれば温室効果ガスを削減できるか理解し、低減策を考えやすくなります。

製品に着目してGHGツリーを作成する際は、温室効果ガス排出量の各要素（活動量や排出原単位）→製造・物流諸元→設計諸元→製品要求・性能のつながりを整理します。特に、Scope 3 カテゴリ 11「販売した製品の使用」の排出量は、製品性能の影響を大きく受けますので、製品要求・性能まで遡る必要があります。例えば、自動車であれば、燃費が良いほど温室効果ガス排出量は少なくなり、家電製品であれば、消費電力が少ないほど温室効果ガス排出量は少なくなります。

また、GHG ツリーにおける設計諸元は、温室効果ガス排出の原因パラメータであると同時に、何らかの製品要求・性能を達成するための手段パラメータでもあります。そのため、製品要求・性能まで遡って GHG ツリーを作成することで、ある設計諸元を変更した際に、影響する製品要求・性能を把握しやすくなります。

**図 4-2　製品に着目した GHG ツリーのイメージ**

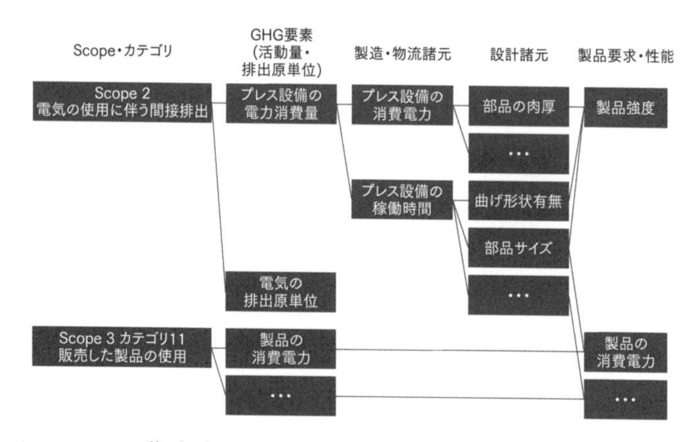


GHG ツリー作成時の留意点として、GHG ツリーの中の「GHG 要素」は、温室効果ガス排出量算定で用いた活動量ではなく、より実態に即した活動量を用いることが望ましいと言えます。

ここで、鋼板のレーザー加工部品をサプライヤーから調達する際の、

Scope 3 カテゴリ 1「購入した製品・サービス」の排出量を例に考えます。

環境省が公表している産業連関表ベースの排出原単位を用いて温室効果ガスを算定する場合、購入部品の重量と排出原単位を掛け合わせて、排出量を算定します。

その場合、温室効果ガスを削減するためには、とにかく部品重量を軽くするしかありません。しかし、実際、レーザー加工に伴う温室効果ガス排出量は、重量以外のパラメータにも依存します。

例えば、図 4-3 に示すように、穴がない部品 a と、穴がある部品 b では、温室効果ガス排出量はどちらの方が大きいでしょうか。この 2 部品は正方形で、1 辺の長さ、材質、肉厚は同じです。

2 部品の材質は同じですので、排出原単位は同じです。一方、部品 a は穴がないため、部品重量は部品 a の方が大きくなります。そのため、環境省が公表している産業連関表ベースの排出原単位を用いて排出量を算定する場合は、部品 a の方が排出量は大きい値になります。

しかし、部品 b の方が、穴の分だけレーザーでカットする周長が長いため、レーザー加工機の稼働時間は部品 b の方が長くなり、より多くのエネルギーを使用します。さらに、部品 b は穴部分の端材が発生してしまうため、サプライヤーにおける廃棄物量も多くなってしまいます。したがって、実際には、部品 b の方が部品 a よりも多くの温室効果ガスを排出してしまいます。

昨今、温室効果ガス排出量の算定精度の改善要請が強まっていますので、LCA（ライフサイクルアセスメント）を実施し、実態に即した GHG ツリーを作成することが望ましいと言えます。

**図 4-3　レーザー加工部品の温室効果ガス排出量の比較**

重量：部品a > 部品b
排出量：部品a <部品b

(a)穴なし　　(b)穴あり

ここまでは、製品に着目した GHG ツリーについて解説しましたが、スタッフ部門の業務における温室効果ガス削減メカニズムの把握にも GHG ツリーを活用できます。

例えば、Scope 2「電気の使用に伴う間接排出」を減らすためには、「オフィスの照明使用時間を減らす」、「照明の消費電力を減らす」と分解できます。これにより、蛍光灯を LED 照明に替える対策などが浮かび上がります。

Scope 3 カテゴリ 2「資本財」であれば、社有車購入を検討している場合、「社有車 1 台当たりの費用」、「社有車購入台数」と分解できます。これにより、社有車購入台数を削減し、レンタカーを活用するといった対策が浮かび上がります。

このように、温室効果ガス排出量の各要素（活動量や排出原単位）を詳細に分解していくことで、温室効果ガス削減メカニズムを把握でき、対策を検討しやすくなります。

図 4-4　部門に着目したGHGツリーのイメージ

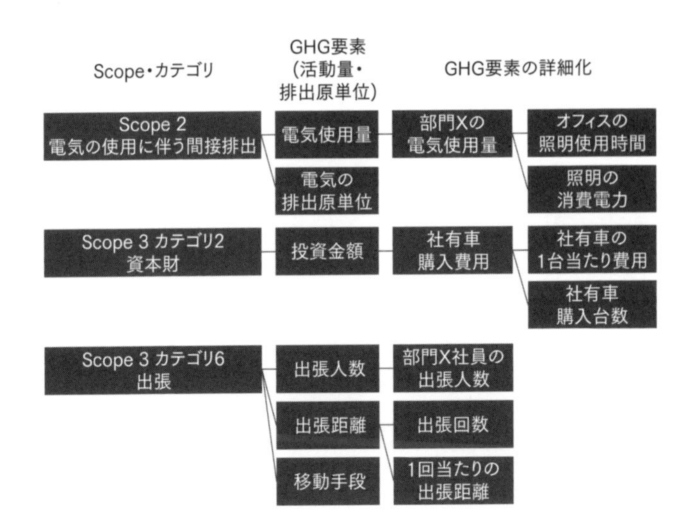


## 公開情報を活用する

温室効果ガス削減メカニズムを理解した後は、低減手段を検討します。昨今は、環境省、自治体、業界団体などで、製造業が取り組みやすい温室効果ガス低減策が多く公開されています。例えば、環境省「工場・事業場における先導的な脱炭素化取組推進事業（SHIFT事業）」ホームページに「$CO_2$削減対策Navi」というページがあります。この中に掲載されている「$CO_2$削減対策メニュー」や、「$CO_2$削減事例集」には、多くの温室効果ガス低減策が記載されています。

「$CO_2$削減対策メニュー」では、空調システム、蒸気システム、照明設備といった、システム・設備別に対策メニューがまとめられています。

例えば、自社でボイラーを使用している場合、蒸気システムの対策メニューリストを見ると、「高効率ボイラーの優先運転（運転台数の削減）」、「ボイラーの運転圧力調整」、「ボイラー排ガス利用による高効率化（給水予熱、燃焼空気予熱等）」などがあります。これらの中から、自社でまだ実施していない対策を抽出することが可能です。

また、工場の対策メニューだけでなく、照明設備、給湯設備、水利用設備など、営業所や事務所でも実行できる改善策も多く記載されています。

「$CO_2$削減事例集」では、温室効果ガス削減施策を実際に採用した企業の事例が掲載されています。中には、掲載企業の温室効果ガス削減計画、施策の期待効果、エネルギーコスト削減額なども公表されています。

他にも、温室効果ガス低減策を公表したサイトは多くありますので、まずはこのような外部情報を参考に、低減策を検討することができます。

## FA法でアイデアを発想する

多くの製造業が共通に抱えるシステム・設備の改善については、環境省などが公表している施策を採り入れることができますが、自社特有の課題は、外部情報を参考にしづらいため、温室効果ガス低減策を自ら考える必要があります。特に、製品や工程は百社百様であり、製品改良策や工程改善策を、外部情報のみに頼るのは困難でしょう。そこで必要となるのが、アイデア発想です。

温室効果ガス削減策に限らず、アイデア発想法は世の中に多く存在しています。ブレインストーミング、KJ法、マインドマップなど、一度は耳にしたことがあるのではないでしょうか。ここでは、アナロジー発想法の１つであるFA法（Function Analogy 機能類似法）をご紹介します。

アナロジーとは、似たようなものを探し、そこからヒントを得る方法であり、いわゆる連想ゲームのようなものです。連想では、「キーワード」を用いることで、様々な情報の中から関連性のあるものを、思考の枠を飛び越えて引っ張ってくることができます。そして、FA法では、キーワードとして、過去の技術者の知的資産である特許のエッセンスを活用します。

特許を活用する問題解決手法としては、旧ソ連で開発されたTRIZ（トリーズ）が有名です。TRIZには様々な考え方がありますが、代表的なものとしては、膨大な特許や技術文献を分析し、優れた特許（技術）にはある一定のパターンがあることを見出し、40の発明原理としてまとめたものがあります。

この発明原理を基に、技術検討の際によく使う観点で再編集と簡素化を行い、17の視点でまとめ直されたのが、FA法です。この17のキーワードを足がかりに、製品改良・工程改善などの新たな温室効果ガス削減施策を発想することができます。

表 4-2　FA 法の 17 のキーワード

| | |
|---|---|
| 1 | 事前にやっておいてはどうか？<br>事前に逆の状態にしたらどうか？ |
| 2 | 違う知覚を使ったらどうか？<br>別のメカニズム / 現象を使ったらどうか？ |
| 3 | 一部を変更したらどうか？ |
| 4 | 逆にしたらどうか？ |
| 5 | 周期性を持たせたらどうか？ |
| 6 | 特性を変えてみたらどうか？ |
| 7 | 分割したらどうか？ |
| 8 | 仲介物を設けたらどうか？ |
| 9 | 環境・状況に合わせて変化させたらどうか？<br>自由度を上げたらどうか？ |
| 10 | 振動を利用できないか？ |
| 11 | 色を変えたらどうか？ |
| 12 | コピー品で代替できないか？<br>安価で短寿命なものを利用できないか？ |
| 13 | 非対称にしたらどうか？ |
| 14 | あえてアバウトにしたらどうか？ |
| 15 | 自己解決できないか？ |
| 16 | 今あるものを使えないか？ |
| 17 | それをなくしてみたらどうか？ |

## 新製品開発・改良アイデアの発想

FA 法を用いて新製品開発・改良のアイデアを発想する際は、まず機能系統図などにより、製品に求められる機能を、目的と手段の関係で整理します。

例えば、図 4-5 に示すように、扇風機の機能の 1 つに「人に涼しいと感じてもらう」ことがあります。この目的を実現するために「風を発生させる」、「意図した方向に風を向ける」といった手段機能が考えられます。さらに、「風を発生させる」という目的を実現するためには、「羽根を回転させる」、「回転の動力を風力に変換する」といった手段機能が考えられます。

## 図 4-5　扇風機での FA 法の例

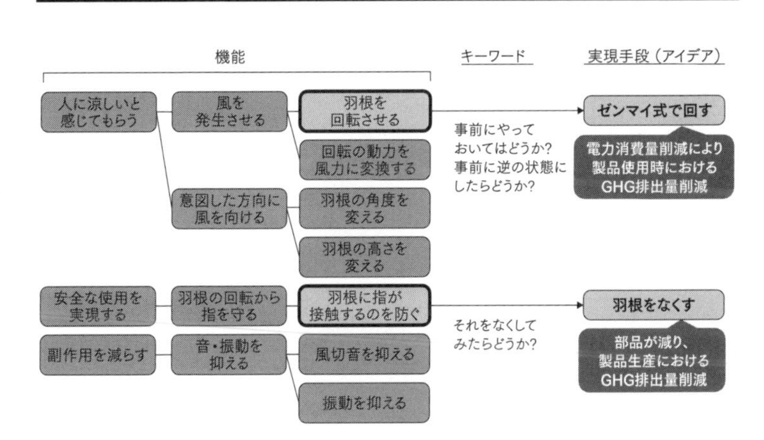


このように、製品に求められる機能を整理した後は、各機能と FA 法の 17 のキーワードを組み合わせて、アイデアを発想します。

例えば、「羽根を回転させる」という部分に着目して、「事前にやっておいてはどうか？　事前に逆の状態にしたらどうか？」というキーワードを当てはめてみると、これまでの電源式から「ゼンマイで回す」というアイデアを発想できます。これにより、電力消費量が削減され、製品使用時における温室効果ガス排出量削減が期待できます。さらに、電気系部品も不要となり、製品生産時における温室効果ガス削減も期待できます。

また、「羽根に指が接触するのを防ぐ」という機能に着目して、「それをなくしてみたらどうか？」というキーワードを当てはめてみると、ダイソンの扇風機のように「羽根をなくす」というアイデアを発想できます。羽根部品がなくなれば、製品生産時における温室効果ガス削減が期待できます。

このように、キーワードを当てはめることで、強制的に思考を働かせることができ、新たな温室効果ガス削減策を創出することができます。

アイデア発想を行う際は、アイデアを選定したり、否定したりしないことに留意します。アイデアを出しても、周りの人が「そんなアイデアではコストがかかりすぎる」などと言って、アイデアを否定するケースが見受けられます。しかし、そのようなことが続いてしまうと、アイデアを出そうとする意欲が下がり、良いアイデアが出にくくなります。また、「こんなアイデアを言っても、実現性が乏しくて発言するのが恥ずかしい」などと考えて、思いついたアイデアを自分で否定することも避けなければいけません。共創により、周りの人が自分のアイデアに乗って、さらに良いアイデアを発想してくれるかもしれませんので、アイデアはどんどん発言することを意識しましょう。

また、従業員の温室効果ガス低減に対する意識が低い企業では、FA 法のようなアイデア発想をワークショップ形式で行うことが有効です。これまで、温室効果ガス低減とは無縁だった従業員にもワークショップに参加してもらうことで、意識改革が期待できます。従業員の意識が変われば、行動が変わり、それが社内に波及していくことで、カーボンニュートラル実現に向けた活動の加速につながります。

良いアイデアを発想するためには、知識も蓄えておく必要があります。特に、昨今の技術の進歩は目まぐるしいため、GHG ツリーを作成して、自社製品の温室効果ガス削減に向けた課題を把握しておき、その観点で世の中の技術動向をウォッチしておくことで、新製品の温室効果ガス削減に活かせる可能性が高まります。

例えば、自動車業界であれば、Scope3 カテゴリ 11「販売した製品の使用」、Scope 3 カテゴリ 1「購入した製品・サービス」の排出量低減が大きな課題です。

Scope 3 カテゴリ 11「販売した製品の使用」の排出量を削減するためには、燃費・電費の向上が必要です。「電気自動車を使用すれば温室効果ガスが排出されない」と誤解されることもありますが、電気をつくるのに温室効果ガスが発生するため、電費の向上も重要です。そして、燃費や電費を向上させるためには自動車の軽量化が重要課題になります。また、Scope 3 カテゴリ 1「購入した製品・サービス」の排出量を削減するために、材料使用量の削減が課題です。GHG ツリーを作成しておけば、このような課題が体系的に整理され、把握しやすくなるため、世の中の軽量化技術などの動向に目を向けやすくなります。

実際に、自動車部品を製造・販売しているユニプレスでは、ハイテン材の冷間プレス技術が高く、同社ホームページによれば、2020 年に冷間 1.5GPa 級ハイテン材を使用した車体骨格部品の量産化に成功しています。ハイテン材とは引張強さが高い鋼材のことで、一般的なハイテン材の引張強さは 340 ～ 790MPa です。部品を軽量化しようとすると、強度不足が懸念されますが、同社の技術を活用すれば、自動車の軽量化と衝突安全性を両立できます。

このように、自社にとって重要な技術に日頃から目を向けておくと、温室効果ガス排出量の少ない製品開発につながります。

## 工程改善アイデアの発想

FA法を用いて、工程改善アイデアを発想する際は、作業手順書やBOP（Bill of Process）などを基に、工程を詳細に分解します。さらに、工程に求められる機能も整理し、各工程や各機能と、FA法の17のキーワードを組み合わせて、アイデアを発想します。

例えば、図4-6に示すように、切削工程は、「加工機に部材をセットする」、「切削油を投与する」、「荒加工を施す」、「仕上げ加工を施す」と詳細化できます。

ここで、「荒加工」、「仕上げ加工」の工程に着目して、「自己解決できないか？」というキーワードを当てはめてみると、「荒・仕上げ一体型刃具を用いて、荒加工と仕上げ加工を同時に行う」というアイデアを発想できます。これにより、加工機の稼働時間を短縮でき、電気使用量が削減されるため、Scope 2「電気の使用に伴う間接排出」の低減効果が期待できます。

また、「切削油投与」の工程に求められる機能の1つに、「加工部位を冷却する」ことがあります。この機能に着目して、「特性を変えてみたらどうか？」というFA発想カードを当てはめてみると、「切削油の冷却特性を変える」というアイデアを発想できます。冷却特性の異なる切削油を使用し加工速度を落とすことで、電力消費量を削減しつつ切削油自体の消費量も抑えられ、温室効果ガス排出量を削減できる可能性があります。

図 4-6　切削工程での FA 法の例

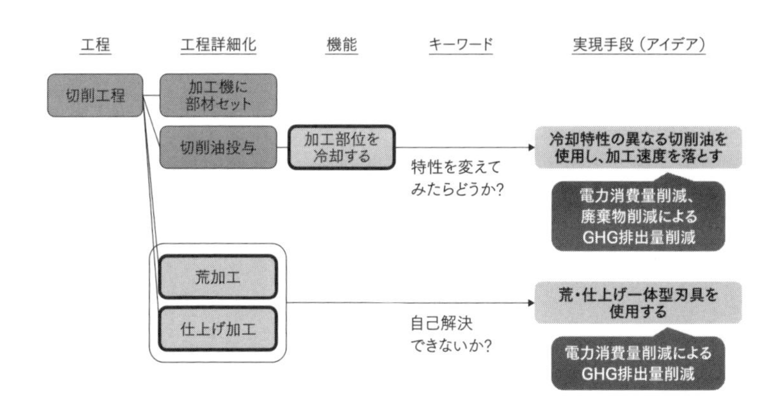


## 物流改善による排出量低減

製造業では、製品生産時や使用時における温室効果ガス排出量低減に注力する企業が多い傾向にありますが、物流改善による排出量低減も重要です。昨今は、グリーン物流、グリーンロジスティクスといったワードが生まれ、カーボンニュートラル実現に向けた動きが強まっています。

物流には、輸配送、保管、荷役、包装、流通加工、情報管理の6つの機能があり、その中でも排出割合が大きいのは、輸配送に伴う排出です。

輸配送における温室効果ガス排出量を、活動量と排出原単位に分解して考えると、活動量には、輸送回数や、輸送1回当たりの輸送距離、輸送重量などが当てはまります。輸送回数削減のためには、積載率を向上させる対策が考えられます。自社だけでは十分な配送量にならない場合は、近隣企業と連携し、共同輸配送やミルクランの導入を検討するのも良いでしょう。また、輸送距離を短縮する場合は、国外よりも国内サプライヤーとの取引を優先して地産地消を促進したり、自社の拠点配置を見直したりする対策が考えられます。

排出原単位を下げる手段として効果が高いのは、モーダルシフトです。モーダルシフトとは、トラック等で行われている輸送を、環境負荷の小さい鉄道や船舶に転換することです。例えば、鉄道輸送に伴う温室効果ガス排出量はトラック輸送の約 1/10 であり、大きな削減効果が期待できます。令和 4 年度は国土交通省がモーダルシフト等推進事業を行い、計画策定経費や運航経費に対して補助金支援が行われましたので、今後もこのような支援がないかチェックしておくと良いでしょう。モーダルシフト以外の排出原単位低減手段としては、輸送車両の EV 化、エコタイヤ導入などもあります。

また、輸配送以外の機能に目を向けると、保管機能であれば倉庫の省エネ促進、包装機能であれば梱包材の削減などが手段として考えられます。このように、物流機能ごとに温室効果ガス低減策を検討します。

ただし、何らかの対策を施すことで、他カテゴリの排出量が増えてしまうケースもあります。輸送距離短縮のためにカーボンニュートラルに取り組んでいないサプライヤーとの取引を開始すれば、Scope 3 カテゴリ 4「輸送、配送（上流）」の排出量が減る一方、Scope 3 カテゴリ 1「購入した製品・サービス」の排出量が増え、結果的に総排出量が増える可能性もありますので、広い視野で対策を検討することが大切です。

# 再生可能エネルギーの利活用

温室効果ガス排出量を低減するには、再生可能エネルギーの利用も不可欠です。再生可能エネルギーには、水力発電、太陽光発電、風力発電、地熱発電、バイオマス発電などが挙げられ、企業が利用する方法はいくつかあります。

まず、手段の1つとして、再エネ自家発電があります。工場の屋根や、空いている土地に太陽光発電パネルを設置し、その電力を利用する方法です。水力発電や風力発電設備の導入は難しくても、太陽光発電パネルは比較的導入しやすい方法です。ただし、条件によっては、設置できないケースもあります。例えば、工場が老朽化して、屋根に太陽光発電設備を設置できないこともあり、初期投資や運用コストが高額になりがちです。

導入のハードルが低い再エネ利用手段としては、グリーン電力証書があります。グリーン電力証書とは、再生可能エネルギーでつくられたグリーンな電力が持つ環境価値を証書化して取引する仕組みです。企業は、再エネによる発電事業者からグリーン電力証書を購入することで、再エネ由来の電力を消費したものとみなされます。グリーン電力証書を購入する場合、初期投資が不要で、設備設置に時間がかかることもないため、すぐに再エネを実現できます。

デメリットとして、グリーン電力証書の価格は市場に左右されるため、価格が高騰するリスクや、長期契約できないため、将来契約が打ち切られるリスクなどがあります。

これらのデメリットを解消できる再エネ利用手段としては、コーポレートPPA（Corporate Power Purchase Agreement）が挙げられます。コーポレートPPAとは、再エネによる発電事業者との間で長期にわたって結ぶ電力購入契約のことで、再エネによる電力を長期間（5～20年間程度）、安定的に調達できるメリットがあります。コーポレートPPAは、日本ではまだあまり普及していませんが、欧米では普及が進んでおり、今後日本での導入も進んでいくと考えられます。

他にも、小売電気事業者が提供する「再エネ電力プラン」を契約する方法などもあります。これらの方法の組み合わせも考慮して、自社の目標や置かれた状況に合わせて、最適な再エネ利用手段を検討します。例えば、「まずはグリーン電力証書を購入し、時間をかけてコーポレートPPAや自家発電に移行する」、「太陽光発電設備を工場に設置して、自家発電で足りない分を小売電気事業者から購入する」といった組み合わせがあります。

## カーボンオフセットの検討

ここまでは、温室効果ガス排出量の低減手段について解説しました。しかし、どれだけ努力しても温室効果ガス排出量をゼロにすることは不可能です。そこで最後の手段となるのが、カーボンオフセットです。

カーボンオフセットとは、削減が困難な温室効果ガス排出量について、他の場所で温室効果ガス削減・吸収活動を実施することで埋め合わせることを言います。

カーボンオフセットの代表的手段の1つとして、J-クレジット制度によるクレジット取引があります。J-クレジット制度とは、森林所有者の取り組みによる温室効果ガス吸収量などを、クレジットとして国が認証する制度です。企業はクレジットを購入することで、「温対法に基づく『温室効果ガス排出量算定・報告・公表制度』」における調整後排出量の報告などで、排出量をオフセットすることができます。

ただし、企業が温室効果ガス削減努力を十分に行うことが前提で、どうしても削減できない部分についてオフセットします。したがって、カーボンオフセット量を安易に増やすことを考えるのではなく、まずは、省エネの促進、再生可能エネルギーの導入、電化の促進により、温室効果ガスの低減努力を行うことが大切です。

# 2 投資意思決定

## 施策の実行優先度を評価する

検討段階で多くの温室効果ガス削減施策が挙がったとしても、すべての施策を同時に実行するのは困難です。なぜなら、施策実行には投資費用もかかりますし、人的リソースなども必要だからです。製品設計や生産工程の変更により、品質への影響が懸念される場合には、実行に移すべきではないケースもあり得ます。

そこで、星取表を用いて、温室効果ガス削減施策の実行優先度を評価します。星取表の項目としては、温室効果ガス排出量削減効果や初期投資額だけでなく、ランニングコスト、実現にかかる期間、人的リソース、技術難易度、品質への影響なども踏まえて、総合的に評価します。

ただし、温室効果ガス削減効果、初期投資額、ランニングコストは、定量化するだけでも相応の工数がかかります。そのため、まずは3～5段階で簡易的に評価し、定量化する施策を絞り込むと、限られたリソースの中でも検討しやすくなります。

## 表 4-3　簡易星取表のイメージ

| 温室効果ガス削減施策 | GHG排出量削減効果 | 初期投資額 | ランニングコスト | 実現にかかる期間 | 人的リソース | 技術難易度 | 品質への影響 | 総合評価 |
|---|---|---|---|---|---|---|---|---|
| A | △ | △ | × | ○ | △ | ○ | △ | 15 |
| B | ○ | × | △ | △ | ○ | △ | ○ | 16 |
| C | × | ○ | ○ | △ | △ | × | △ | 14 |

○:3 点、△:2 点、×:1 点

温室効果ガス削減効果を算定する際は、変動系施策と固定系施策を分けて考えます。変動系施策とは、温室効果ガス削減量が売上や生産数量に依存する施策のことで、前提を明確にした上で算定します。例えば、現在の生産数量が 100 で、2030 年の生産数量を 200 と見込む場合を考えます。現在を基準にして、施策 A を実行することで 10t-$CO_2$ の削減効果が見込めるとすると、2030 年の温室効果ガス削減効果は 20t-$CO_2$ になります。

固定系施策とは、温室効果ガス削減量が生産数量によらない施策のことです。現在を基準にして、施策 B を実行することで 15t-$CO_2$ の削減効果が見込めれば、2030 年の温室効果ガス削減効果も 15t-$CO_2$ です。例えば、本社の蛍光灯を LED 照明に変更するような施策が当てはまります。

現在を基準にすれば施策 B が優先され、2030 年を基準にすれば施策 A が優先されることになります。したがって、変動系施策と固定系施策を分け、マイルストーンとなる目標年度や、施策実行効果の発現期間も考慮して、温室効果ガス削減効果の定量化を行います。

また、温室削減ガス削減効果や投資額、ランニングコストは、差額分析により定量化します。例えば、100万円の省エネ設備を購入する施策の投資額を評価する際、更新したばかりの設備を買い替える場合と、老朽化した設備を買い替える場合では、評価結果は変わります。なぜなら、省エネ設備の購入意思決定によらず、老朽化した設備は買い替えなければならないためです。

仮に、老朽化した設備同等品の更新費用が80万円だとすると、老朽化した設備更新に伴う省エネ設備投資額（差額）は20万円（＝100万円－80万円）と評価します。一方、更新したばかりの設備を買い替える場合は、省エネ設備の価格である100万円と評価します。

このように、投資額を算定する際は、設備の実際の額ではなく、施策を実行しないときと実行したときの差額で評価します。

ランニングコストは、施策実行後に定常的に発生するコストです。施策によっては、ランニングコストが上がるものもあれば、省エネにより電気代が下がるなどして、ランニングコストが下がる施策もあります。また、初期投資額、ランニングコストの代わりに、後述するライフサイクルコストを用いると、より精緻に評価できます。

次に、各項目を総合的に見て、実行優先度を評価します。このとき、温室効果ガス削減効果と、投資額・コストのバランスの取り方に悩む企業が多い傾向にあります。評価軸が異なる「環境」と「経済」の両者を比較して投資判断するためには、温室効果ガス削減効果を金額に換算するインターナルカーボンプライシングが役立ちます。

# インターナルカーボンプライシング制度を導入する

第3章で述べたように、インターナルカーボンプライシング（ICP）とは、企業内部で独自に設定、使用する炭素価格のことです。ただし、ICPの価格だけを決めても、その活用方法、運用方法まで決めなければ、機能しません。ここでは、価格だけでなく、活用方法、運用方法を含めて、ICPと呼びます。

ICPの制度設計は、以下のSTEPで行います。

STEP 1｜ICP導入目的の明確化
STEP 2｜ステークホルダー要求とICP要件の整理
STEP 3｜外部炭素価格や他社動向調査
STEP 4｜活用方法・価格の検討
STEP 5｜運用方法の検討

## STEP 1｜ICP導入目的の明確化

ICPは、施策の実行優先度を評価すること以外にも、以下に示すような様々な目的に用いられます。そこで、まずはICPの導入目的を明確にします。

■低炭素投資を促進するため
■従業員の行動変容を促すため
■企業ブランドを高めるため
■投資家や評価機関にアピールするため
■炭素税制度や排出量取引制度に対応するため

将来、自社がどうありたいか、社会や取引先に対してどのような価値を提供するか、投資家とどう向き合うかといった問いに応え、企業のミッションやビジョンを振り返り、目的を明確にします。目的は1つに限定する必要はなく、多くの場合、複数の目的が設定されます。

### STEP 2｜ステークホルダー要求とICP要件の整理

十分な検討がなされず、妥当な根拠がないままICPを導入しようとすると、社内外からの理解を得られず、ICPが機能しません。「ICPの活用範囲が限定的で、低炭素投資に結び付かない」、「ICPに対して従業員から理解を得られず、行動変容を促せない」、「ICPの価格が低すぎて、投資家や評価機関へのアピールにならない」など、制度設計が不十分な状態で導入しても、当初の目的を達成できません。

そのため、ICPに関係するステークホルダーの要求を列挙し、ICPに求められる要件を整理します。

ステークホルダー要求を整理する際は、まずステークホルダーを特定します。ICPを用いて設備投資判断を行う調達部門、ICPを用いて製品開発投資判断を行う開発部門、ICPの導入や見直しを行う経営企画部門、ICPを承認する経営陣、ICPを参考にESG投資を推し進める機関投資家など、多くのステークホルダーがICPに関与します。

次に、ステークホルダーごとに要求を整理します。

例えば、調達部門の要求としては、「分かりやすい制度にしてほしい」、「ICPに基づいた投資判断により高コストになってしまう場合、利益目標から控除してほしい」などが考えられます。経営陣の要求としては、「炭素税など、将来のリスクに備えたい」、「ICP導入により、企業業績に悪影響を与えたくない」などが考えられます。ESG投資を推し進める機関投資家の要求としては、「低炭素投資を促進できる価格を設定してほしい」なども考えられます。

このようにステークホルダー要求を整理した後は、ICP要件を整理します。

上記のステークホルダー要求から、以下のようなICP要件が整理されます。ICP要件の主語は「ICP（価格や活用方法）」になります。

- シンプルで納得感のある制度であること
- 温室効果ガス排出コストを差し引いた利益で、評価される制度であること
- 将来の炭素税予測など、外部炭素価格を考慮した価格であること
- 環境優良企業として、社会や投資家にアピールできる価格であること

最後に、ICP要件の重要度を定義します。挙げられたICP要件をすべて満足するのは難しいケースがほとんどですので、ICP要件の重要度を定義し、要件同士が背反した場合の優先度を決めます。

ICP要件の重要度は、ICP導入目的との合致度、ステークホルダーの重要度などに依存します。例として、ICP導入目的を「投資家や評価機関にアピールするため」と設定した企業のケースを考えます。大規模データ解析などにより、「温室効果ガス排出量が減れば、株価は上がる傾向にある」という因果関係が見られれば、投資家の重要度は高いと判断でき、「環境優良企業として、投資家にアピールできる価格であること」というICP要件の重要度は高くなります。

**表 4-4　ステークホルダー要求とICP要件の例**

| ステークホルダー | ユースケース | ステークホルダー要求 | ICP要件 |
|---|---|---|---|
| 設備調達担当 | ICPから算出される $CO_2$ 排出コストも見て、設備投資を判断する | ・分かりやすい制度にしてほしい<br>・ICPに基づいた投資判断により高コストになってしまう場合、利益目標から控除してほしい | ・シンプルで納得感のある制度であること<br>・温室効果ガス排出コストを差し引いた利益で、評価される制度であること |
| 経営陣 | ICPを承認する | ・炭素税等、将来のリスクに備えたい<br>・ICP導入により、企業業績に悪影響を与えたくない | ・将来の炭素税予測など、外部炭素価格を考慮した価格であること |
| 経営企画部門 | ・ICPを導入する<br>・ICPを定期的に見直す | ・ICPを用いて環境優良企業であることをアピールしたい<br>・ICP見直しや管理は煩雑にしたくない | ・環境優良企業として、社会や投資家にアピールできる価格であること<br>・事業によらず、社内統一の価格であること |
| ESG投資に積極的な機関投資家 | ICPを見て、株式投資を判断する | ・ICPが高い企業に投資したい<br>・低炭素投資を促進できる価格を設定してほしい | ・他社のICPより高めの価格であること |
| ・・・ | ・・・ | ・・・ | ・・・ |

## STEP 3｜外部炭素価格や他社動向調査

ICPの価格・活用方法の検討材料として、外部炭素価格や他社動向の調査を行います。

特に、「炭素税制度や排出量取引制度に対応する」といった目的であれば、外部炭素価格の調査は欠かせません。国際エネルギー機関IEAは、世界全体で2050年ネットゼロを達成するシナリオにおける先進国の炭素価格は2030年に130USD/t-$CO_2$、2050年に250USD/t-$CO_2$と予測しています。

各国ごとに異なる価格を活用する場合、想定する国別に炭素税やクレジット取引価格を調査します。日本は、炭素税の代わりに地球温暖化対策税がありますが、税率は289円/t-$CO_2$であり、本格的に炭素税が導入されている欧州に比べるとかなり小さい税率です。今後、経済産業省は、温室効果ガス排出量に応じて企業が負担する炭素賦課金制度と、温室効果ガス削減量を市場で売買する排出量取引制度の2つを組み合わせて導入する方針を掲げています。賦課金制度の導入初期は、化石燃料を輸入する企業に対して賦課金の支払いを求め、低い負担から始める方針ですが、負担増加によるエネルギー価格上昇や、対象企業の拡大などにより、金銭の支払い額が高まるリスクは考慮しておくべきでしょう。

また、EUでは国境炭素税を導入することが合意されました。これは、環境規制の緩い国からの一部輸入品に事実上の関税をかける仕組みで、炭素国境調整措置（CBAM）とも言われます。2023年10月から段階的な導入が始まり、まずは、鉄鋼、セメント、アルミニウム、肥料、発電、水素などに対して、報告のみが義務付けられます。その後、段階的に導入を進め、金銭の支払いが義務化される見通しです。生産国での炭素税が低くても、これらをEUに輸出する企業は、EU域内でつくった製品と同水準のコストになってしまうため、このような動向も注視してICPの価格を設定する必要があります。

## 図 4-7　主な炭素税導入国の税率推移及び将来見通し

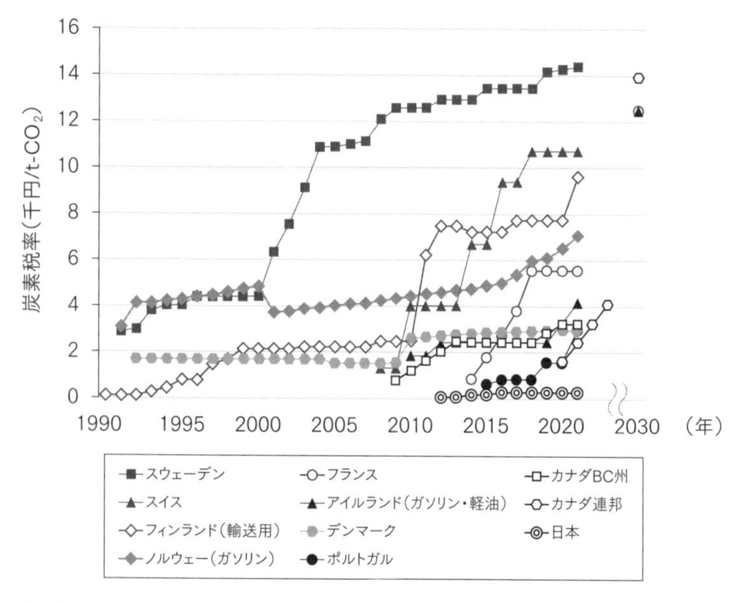


（出典）みずほ情報総研
（注 1）スウェーデン（1991 年～ 2017 年）及びデンマーク（1992 年～ 2010 年）は産業用軽減税率を設定していたが、ここでは標準税率を採用（括弧内は産業用税率を設定していた期間）。
（注 2）為替レート：1 CAD ＝約 82 円、1 EUR ＝約 125 円、1 CHF ＝約 112 円、1 DKK ＝約 17 円、1 SEK ＝約 12 円、1 NOK ＝約 12 円。（2018 年～ 2020 年の為替レート（TTM）の平均値、みずほ銀行）

出典）環境省「炭素税について」

「企業ブランドを高める」「投資家や評価機関にアピールする」といった目的があれば、他社の ICP の導入動向も調査する必要があります。今では、ホームページなどで ICP の価格を公表されている企業も増えています。また、CDP のホームページで、質問書回答企業の価格が掲載されています。表 4-5 に ICP 導入企業の価格例を示します。

価格だけでなく、ICP導入手順や活用方法を公表している企業もあります。Microsoft社ではインターナルカーボンプライシング導入における実践手順をガイドブックとして公表し、ウェビナーでも丁寧に説明しています。このような先進企業の実践例も、ICP制度設計に役立ちます。

**表4-5 主な企業のICPの価格**

| 企業 | 価格 |
|---|---|
| キヤノン | 24,000円 |
| ソニー | 5,773.67円 |
| 富士フイルム | 11,000円 |
| パナソニック | 6,000円 |
| 日立製作所 | 14,000円 |
| コニカミノルタ | 1,500円 |
| ライオン | 6,100円 |
| 花王 | 18,500円 |
| 明治ホールディングス | 5,000円 |
| 旭化成 | 10,000円 |

出典）CDPホームページ2022年質問回答や各社公表資料を基にITID作成

このように、検討材料を十分に調査して、ICPの制度を設計することで、ステークホルダーの納得感を高め、特に従業員の行動変容を促しやすくなります。

## STEP 4｜活用方法・価格の検討

ここでは、ICPの活用方法と価格を決めます。STEP 4、STEP 5の進め方は、環境省が公表する「インターナルカーボンプライシング活用ガイドライン」にも詳しく記載されています。

投資意思決定におけるICP活用方法は、主に以下2つに分類されます。

■投資基準の参照値

■投資基準引き下げ

### ・投資基準の参照値

ICPの価格を投資基準の参照値として活用し、投資による温室効果ガス削減コストが、ICPの価格を下回れば投資を実施します。

例えば、100万円の投資により、200 $t\text{-}CO_2$ の温室効果ガス削減効果が見込めれば、温室効果ガス削減コストは5千円/ $t\text{-}CO_2$（100万円÷200 $t\text{-}CO_2$）です。仮に、ICPの価格を1万円/ $t\text{-}CO_2$ と設定していれば、温室効果ガス削減コストの方が低いので、投資を実施すると判断します。

### ・投資基準引き下げ

投資による温室効果ガス削減量にICPの価格を掛け合わせ、その分だけ収益が増えると仮定して、投資判断を行います。

例として、以下のような製品設計変更のケースを考えます。

■金型変更に伴い、200万円の初期投資がかかる

■年間50万円のコスト削減が見込める

■年間50 $t\text{-}CO_2$ の削減が見込める

■回収期間が3年以内の場合に投資実施の判断を行うルールがある

■ ICPの価格は1万円/ $t\text{-}CO_2$ と設定されている

温室効果ガス削減効果を無視すれば、この設計変更による回収期間

は4年（投資額200万円÷コスト削減効果50万円/年）です。

一方、温室効果ガス削減量を収益に換算すると、50万円（50t-$CO_2$/年×1万円/t-$CO_2$）ですので、見かけの差額収益は100万円/年になります。したがって、この場合の回収期間は2年（投資額200万円÷差額収益100万円/年）です。

回収期間が3年以下の場合に投資を実施することになるので、温室効果ガス削減効果を無視した場合は、この設計変更案に投資しないことになりますが、温室効果ガス削減効果を考慮した場合は、この設計変更案に投資することになります。

このように、温室効果ガス削減効果を収益に換算することで、投資基準が下がります。

また、適用国、設備対象、温室効果ガスの排出主体、事業活動など、ICPの適用範囲も明確にします。設備対象の選択肢としては、省エネ設備、再エネ設備、設備全般などが考えられます。温室効果ガスの排出主体としては、Scope 1、2排出量のみとするか、Scope 3排出量まで含めたサプライチェーン排出量全体を対象とするかを決めます。事業活動であれば、設備投資、製品開発投資、研究開発投資、材料調達・サプライヤー選定など、どの活動に適用するかを明確にします。

次に、ICPの活用方法に応じて価格を設定します。

価格設定方法には、主に以下の4種類があります。

- ■外部価格（排出権価格など）の活用
- ■同業他社価格のベンチマーク
- ■低炭素投資を促す価格に向けた社内協議
- ■温室効果ガス削減目標による数理的分析

外部価格の活用により設定した価格をシャドープライス、同業他社価格のベンチマーク、低炭素投資を促す価格に向けた社内協議、温室効果ガス削減目標による数理的分析により設定した価格をインプリシットプライスと呼びます。

**・外部価格（排出権価格など）の活用**

前述したIEAが公表している炭素価格や、各国の炭素税、排出権価格の予測値などを用いて、ICPの価格を設定します。

この方法を用いることで、将来、排出権取引などにより発生する支払い額を考慮して、投資意思決定を行えるようになります。

ポイントは、外部炭素価格の予測値を用いる点です。時々、企業から、「現在の炭素価格は○円だから、それを基準にICPの価格を決めれば良いのではないか」といったコメントをいただくことがあります。しかし、それでは遅いのです。例えば、設備投資の意思決定を行うのは2023年だとしても、その設備を使用している間、温室効果ガスを排出させることになり、排出量に応じて金銭を支払わなくてはいけません。すなわち、現在の投資意思決定が、将来の支払額に影響を与えてしまうのです。そのため、将来の金銭支払いリスクを減らすためには、今から対応しておく必要があります。

**・同業他社価格のベンチマーク**

STEP 3で調査した、他社のICPの価格を参照して、自社のICPの価格を決めます。

「企業ブランドを高める」「投資家や評価機関にアピールする」といった目的があれば、同業他社だけでなく、他業界の環境優良企業の価格も参照します。

**・低炭素投資を促す価格に向けた社内協議**

投資したい対策に対して、投資の意思決定が逆転するであろう価格を算出し、ICP の価格として設定します。

例として、グリーン電力購入のケースを考えます。グリーン電力とは、太陽光や風力など、自然を利用した再生可能エネルギーにより発電された電力のことです。

グリーン電力と非グリーン電力の $CO_2$ 排出係数の差が 0.4kg-$CO_2$/kWh、年間電力使用量が 1 億 kWh とすると、温室効果ガス削減効果は 40,000t-$CO_2$/ 年（1 億 kWh/ 年× 0.4kg-$CO_2$ ÷ 1,000）です。

そして、グリーン電力と非グリーン電力の価格差がいくら以内なら購入に踏み切るか検討します。社内協議の結果、年間 2 億円のコストアップまでは許容できると考えた場合、ICP の価格は 5 千円 /t-$CO_2$（2 億円÷ 40,000t-$CO_2$）になります。

ただし、ICP の適用範囲によって、価格が大きく異なる可能性があるため、適用範囲ごとにいくつかの対策案を想定して検討します。

ノルウェーを拠点とするエネルギー企業の Equinor 社は、Scope 1、2 排出量に関わる投資意思決定に活用する場合と、出張に伴う Scope 3 排出量に関わる意思決定に活用する場合で、異なる価格を設定しています。

フランスを拠点とする材料メーカーの Saint-Gobain 社は、大規模な設備投資判断に用いる ICP の価格と、研究開発への投資判断に用いる ICP の価格を変えています。

このように、ICP の活用方法に応じて ICP の価格が異なる場合は、それぞれのケースを吟味して、価格を決定します。

**・温室効果ガス削減目標による数理的分析**

自社で定められた温室効果ガス削減目標達成に向け、自社の低炭素取り組み（LED・太陽光・再エネ導入など）を列挙した上で、対策総コスト（円）と累積削減量（t-$CO_2$）から、ICPの価格を算出します。目標達成に向け費用対効果の高い低炭素取り組みから高効率なものが導入可能になります。

これら4種類の方法から、価格決定の難易度、温暖化対策の実効性を鑑み、自社が取り組みやすい方法を選択したり、複数の設定方法を組み合わせたりして、価格を設定します。

また、活用方法や価格が具体化されると、ステークホルダーの見落としや、外部環境の情報不足に気づくこともあります。その場合は、STEP 2、STEP 3に立ち戻って再度検討を行います。

## STEP 5｜運用方法の検討

ICPの制度設計が完了したら、ICPの導入・運用に関わるタスクと、各部門の役割を決めます。タスクとしては、ICPの導入計画策定、ICPの承認、関連部署との調整、ICP制度見直しルールの検討、運用体制の構築、ICP適用範囲の拡充計画の作成など、多岐にわたります。

経営企画部門やサステナビリティ部門が主担当となって、ICP導入を推し進める企業が多いですが、導入の際、経営層のコミットメント獲得や、活用部門との調整に苦慮するケースが多いようです。特に、温室効果ガス排出コストを、従業員や役員の評価・報酬と連動させる場合はなおさらです。そのため、ICPに関わるステークホルダーとの十分な対話を通じて、理解を得ることが重要になります。

また、ICPは一度決めて終わりではなく、「外部炭素価格が下がってきたからICPの価格を下げる」、「脱炭素活動を一層促進させるためICPの価格を上げる」など、外部環境、内部環境の変化に応じて見直します。そうすることで、柔軟な意思決定ができるようになります。

## ライフサイクルリターンを用いて、投資判断する

次に、低炭素投資に限らず、何らかの投資判断の際に、環境と経済の両面を考慮する手法をお伝えします。例えば、製品開発プロジェクト投資や新事業投資などが該当します。

まず、環境面から考えます。低炭素投資判断では、温室効果ガス削減量にICPの価格を掛け合わせ、見かけの収益を算出して投資基準を引き下げることをお伝えしました。低炭素投資以外の投資判断では、ライフサイクル全体における温室効果ガス排出量にICPの価格を掛け合わせて、これを見かけのコストと捉えます。すなわち、排出量が多いほど、支出が増えることになります。

次に、経済面を考えます。環境面ではライフサイクル全体の温室効果ガス排出量を算出していますので、時間軸を合わせるため、支出についてもライフサイクル全体を考慮し、ライフサイクルコストを算出します。

ライフサイクルコストとは、製品や事業に関わるライフサイクル全体で発生する費用の総和のことです。例えば、製品開発の投資意思決定であれば、製品の企画、開発、設計、評価、調達、生産、品質管理、販売、アフターサービス、設備保全、製品廃止の各段階で発生するコストを指します。

収益は、通常の投資意思決定同様、新製品や新事業により各年度で見込まれる収益を導出します。

**表 4-6　新製品開発において検討するライフサイクルコストの例**

| コスト発生段階 | ライフサイクルコスト | 具体例 |
|---|---|---|
| 企画・研究 | 市場調査費 | 調査会社依頼費、アンケート調査費、テストマーケティング費用 |
| | 要素開発費 | 開発用設備費、試作費、試験費、開発人件費 |
| | 知財関連費用 | 特許・実用新案の調査・登録関連費用 |
| 開発・設計 | 製品開発費 | 試作費、試験費、他社開発依頼費、開発人件費、外部評価費用、マイナーチェンジ開発費用 |
| | 知財関連費用 | 特許・実用新案・意匠・商標の調査・登録関連費用 |
| 生産準備 | 設備投資費 | 金型費（プレス、樹脂、ダイカスト）、治工具費（溶接、組立）、塗装設備費、生産ロボット費用、プログラミング費用、節税効果 |
| 調達 | 調達費 | 購買物流費、在庫管理費用、購買労務費 |
| 製造 | 製造費 | 材料費、製造労務費、設備の修理・維持コスト、部品修繕コスト |
| 販売物流 | 在庫関連費用 | 棚卸作業費、支払利息、在庫過多による機会損失、棚卸減耗による節税効果、倉庫賃貸料、水道光熱費、警備費用、保険費用 |
| | 輸送費 | 陸上輸送、海上輸送、空輸、間接費用、保険費用、関税 |
| 販売 | 営業・販売費用 | 営業活動人件費、広告宣伝費、ホームページ作成費、品質不良による売上値引 |
| | PL 予防コスト | PL 保険料 |
| アフターサービス | アフターサービス | クレーム対応人件費、修理作業費、交換部品費、交換部品の保管費用 |
| | リサイクルコスト | リサイクルコスト |
| | リコール費 | 製品回収費、スクラップ費用 |
| | PL 関連費用 | 損害保険料、PL 訴訟費 |
| 販売終了・事業撤退 | 撤退コスト | 設備撤去費、在庫処分費、対応人件費 |
| その他 | 定常的に発生するコスト | 資金調達コスト、税金、節税効果 |
| | 環境コスト | 地球環境保全コスト、資源循環コスト、環境管理活動コスト、環境修復コスト |

そして、図4-8のように、累計収益曲線、累計コスト発生曲線を導出し、ライフサイクルリターン（B-A）を用いて投資判断を行いま

す。累計コストには、排出コストやライフサイクルコストが含まれます。

ROI を用いた投資判断に慣れている企業であれば、以下の式で示すライフサイクル ROI を用いても構いません。

ライフサイクルリターン＝累計収益－累計コスト
※累計コストには投資額も含まれる

$$\text{ライフサイクル ROI} = \frac{\text{ライフサイクルリターン} + \text{投資額}}{\text{投資額}}$$

**図 4-8 収益費用曲線のイメージ**

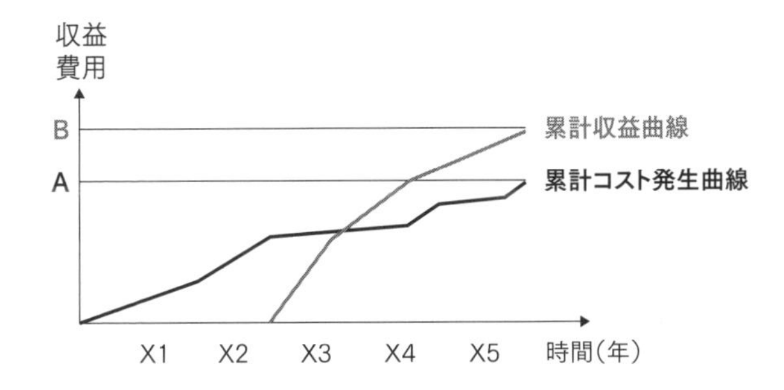


ただし、複数の投資案を評価する場合は、ライフサイクル ROI 単独ではなく、ライフサイクルリターンと併せて評価することに留意します。なぜなら、ライフサイクル ROI 単独では投資の規模を評価できないためです。

例えば、以下の投資案 X、Y を比較すると、ライフサイクル ROI はともに 6 ですが、投資案 X のライフサイクルリターンは、投資案 Y の 10 倍です。すなわち、支払い余力が十分にあれば、ライフサイクルROIは同じでも、投資案Xが優先されます。

**【投資案X】**

収益：150百万円

ライフサイクルコスト：50百万円　※内、投資額20百万円

ライフサイクルリターン：100百万円 ＝ 150百万円－ 50百万円

ライフサイクルROI：6 ＝ (100百万円＋ 20百万円 ) ／ 20百万円

**【投資案Y】**

見かけの収益：15百万円

ライフサイクルコスト：5百万円　※内、投資額2百万円

ライフサイクルリターン：10百万円 ＝ 15百万円－ 5百万円

ライフサイクルROI：6 ＝ (10百万円＋ 2百万円 ) ／ 2百万円

管理会計に詳しい読者にとっては、「ライフサイクルリターンは、NPV（正味現在価値）法、ライフサイクルROIはPI（収益性指数）法に近い」と考えると、分かりやすいと思います。

また、より厳密に投資判断を行う場合は、貨幣の時間価値も考慮します。時間価値とは、現在の貨幣の価値と、将来の貨幣の価値が異なることを言います。

例えば、現在の100万円と1年後の100万円の価値は異なります。金利1%とすると、現在の100万円は、1年後の101万円（100万円×1.01）と同じ価値になります。反対に、1年後の100万円の価値を、現在の貨幣価値に置き換えると99万円（100万円÷1.01）になります。

ただし、時間価値を考慮してライフサイクルリターンやライフサイクルROIを導出しようとすると、計算が煩雑になります。その結果、

この投資意思決定の基準が活用されなくなってしまえば本末転倒ですので、開発や生産の現場にICP制度が受け容れられ、従業員の行動を変容させるために、あえて時間価値の考え方を取り入れないことも選択肢の1つです。

## 資金を調達する

採用した投資案を実行に移すためには資金が必要ですので、社内外から調達しなければなりません。

外部からの資金調達手段としては、グリーンボンドやトランジションボンドなどの債券、金融機関からの融資、補助金の活用などが考えられます。

グリーンボンドとは、適格なグリーンプロジェクトに要する資金を調達するために発行する債券のことです。トランジションボンドとは、脱炭素社会の実現に向けて、長期的な戦略に則った温室効果ガス削減の取り組みを行うことを目的に発行する債券のことです。

債券による資金調達手段として、最も普及しているのはグリーンボンドですが、資金使途が限定されていることから、自由度の高いトランジションボンド発行企業が徐々に増えています。

経済産業省もトランジションボンドの発行を支援しており、2022年に利子補給制度を創設しました。これは、温室効果ガス削減の取り組みを進める10年以上の計画を策定し、認定を受けた事業者に対して、0.1%幅の利下げを実施する制度です。

## 表 4-7　2022 年発行の主な製造業の環境債

| 企業 | 発行額 | 利率 | 年限 | 債券区分 |
|---|---|---|---|---|
| ミネベアミツミ | 250億円 | 0.42% | 5年 | グリーンボンド |
| 日本碍子 | 50億円 | 0.31% | 5年 | グリーンボンド |
| 住友金属鉱山 | 150億円 | 0.32% | 5年 | グリーンボンド |
| 川崎重工業 | 90億円 | 0.79% | 10年 | グリーンボンド |
| サンケン電気 | 50億円 | 1.10% | 5年 | グリーンボンド |
| 朝日印刷 | 35億円 | 0.43% | 5年 | グリーンボンド |
| 三菱重工業 | 100億円 | 0.31% | 5年 | トランジションボンド |
| 大同特殊鋼 | 100億円 | 0.43% | 5年 | トランジションボンド |
| ＪＦＥホールディングス | 250億円 | 0.33% | 5年 | トランジションボンド |
| | 50億円 | 0.58% | 10年 | トランジションボンド |
| ＩＨＩ | 110億円 | 0.39% | 5年 | トランジションボンド |
| | 90億円 | 0.62% | 10年 | トランジションボンド |

出典）環境省「グリーンファイナンスポータル」を基に ITID 作成

通常、グリーンボンドやトランジションボンド発行の際は、第三者介入による手数料が発生するため、発行額規模は大きくなりがちで、中小企業が活用するにはハードルが高くなります。しかし、国や地方自治体も、企業の脱炭素推進を支援しており、中小企業が利用できる政策は年々強化されています。

表 4-8 に示した事業は、2022 年度において中小企業が活用可能だった政策の例です。今後も同様の事業が実施される可能性があるため、経済産業省、環境省、国土交通省、地方自治体などのホームページを確認すると良いでしょう。中小企業庁のホームページで毎年公表されている中小企業施策利用ガイドブックも活用できます。

### 表 4-8 脱炭素経営の推進に活用可能な事業の例

| ものづくり・商業・サービス生産性向上促進補助金　グリーン枠 |
|---|
| 事業再構築補助金　グリーン成長枠 |
| 工場・事業場における先導的な脱炭素化取組推進事業（SHIFT事業） |
| 脱フロン・低炭素社会の早期実現のための省エネ型自然冷媒機器導入加速化事業 |
| 先進的省エネルギー投資促進支援事業費補助金 |
| 省エネルギー投資促進支援事業費補助金 |
| 省エネルギー設備投資に係る利子補給金助成事業費補助金 |
| 中小企業等に対するエネルギー利用最適化推進事業費補助金 |
| 脱炭素社会構築のための資源循環高度化設備導入促進事業 |
| 浄化槽システムの脱炭素化推進事業 |
| 廃棄物処理×脱炭素化によるマルチベネフィット達成促進事業 |
| グリーンリカバリーの実現に向けた中小企業等の$CO_2$削減比例型設備導入支援事業 |
| 脱炭素社会の構築に向けたESGリース促進事業 |
| PPA活用等による地域の再エネ主力化・レジリエンス強化促進事業 |
| クリーンエネルギー自動車導入促進補助金 |
| 再エネ×電動車の同時導入による脱炭素型カーシェア・防災拠点化促進事業 |
| 環境配慮型先進トラック・バス導入加速事業 |
| 建築物等の脱炭素化・レジリエンス強化促進事業 |
| 既存建築物省エネ化推進事業 |
| 低炭素技術を輸出するための人材育成支援事業費補助金 |
| カーボンニュートラルに向けた投資促進税制 |

社内で資金を調達する（予算を確保する）場合は、カーボンニュートラルに取り組まないリスクを見える化することで、他部門との交渉が有利に進む場合があります。ある企業では、環境部門が予算確保をしようとした際、営業部門から「カーボンニュートラルに力を入れても儲からない。環境部門に予算を回すくらいなら、営業部門の売上目標を下げてほしい」といった声が聞かれたそうです。このように、脱炭素経営への理解が得られず、予算確保に苦労する場合は、第３章で解説したシナリオ分析による事業インパクト評価結果を用いること

ができます。例えば、「温室効果ガス排出量に応じた賦課金制度が導入された場合、支出がどれだけ増えるのか」、「温室効果ガス排出量を削減しない場合、OEMとの取引打切りによる売上減少リスクはいくらか」など、収益性指標への影響を数値化すると社内交渉しやすくなります。

また、社内に低炭素投資ファンドを導入する企業も増えています。各事業部の温室効果ガス排出量に応じて、実資金を回収して低炭素投資に回します。

資金回収金額の設定方法は主に2種類あります。

・税金的回収

「各部門の温室効果ガス排出量×ICPの価格」より、回収金額を決めます。事業特性など、管理不能因子の影響で温室効果ガス排出量が多い傾向にある事業部は不利になるため、公平性を担保する工夫が必要です。

・懲罰的回収

「各部門の温室効果ガス削減量の目標未達量×ICPの価格」より、回収金額を決めます。温室効果ガス削減目標を達成した場合、十分な資金が集まらない懸念があります。

どちらにしても、部門別の温室効果ガス排出量算定の仕組み、ファンド管理の体制は、一朝一夕では構築できませんので、段階的にICP活用方法を拡げていくことが肝要です。

図 4-9　低炭素投資ファンドのイメージ

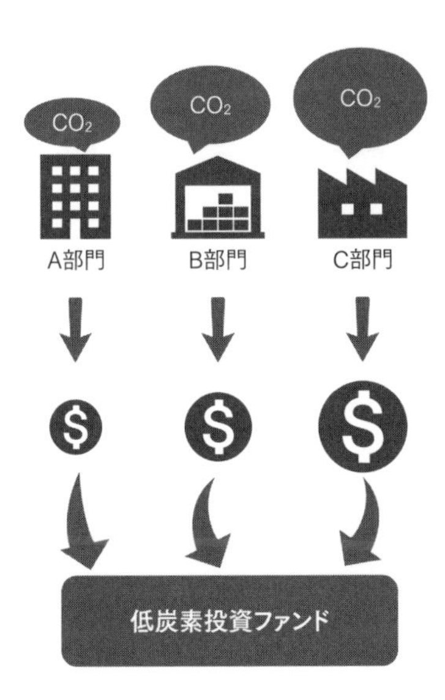

# 3 サーキュラーエコノミー実現

## サーキュラーエコノミーとは

「どのような製品を開発すれば温室効果ガスが減るか」、「製品をどのように生産すれば温室効果ガスが減るか」といった観点で、温室効果ガス削減策検討方法を解説してきましたが、温室効果ガス削減策は製品改良や工程改善だけではありません。サーキュラーエコノミーを実現し、ビジネスモデルから見直すことで、温室効果ガスを劇的に削減できる可能性があります。

サーキュラーエコノミーとは、「循環型経済」と呼ばれる経済システムのことです。リサイクルや再利用を前提に製品・サービスを設計することで、新たな資源の消費量抑制、新たな部品・製品の生産量抑制を実現します。

サーキュラーエコノミーの対比となる従来の経済システムは、リニアエコノミーと呼ばれます。資源の採取から始まり、調達、生産、消費、廃棄といった流れが一方向で、大量生産、大量消費、大量廃棄の経済システムです。これまで人類がリニアエコノミーを続けてきた結果、資源の枯渇、大規模な資源採取による生物多様性の破壊、廃棄物増大に伴う埋立処分場の逼迫（ひっぱく）など、深刻な環境問題を引き起こしてきました。

このような環境問題を抑制するために生まれたのが、サーキュラーエコノミーという概念です。これを世界で推進するエレン・マッカーサー財団は、サーキュラーエコノミーの3原則として、以下の3つを挙げています。

■廃棄物と汚染を生み出さないように設計する

■製品と原料を使い続ける

■自然を再生させる

製品やサービスを設計した後に考えるのではなく、廃棄物や汚染を生み出さずに、製品や原料を使い続けられるように、あらかじめ設計しておくことが重要です。

このような背景もあり、EUは2019年、脱炭素社会を目指すための包括的政策「欧州グリーンディール」を公表し、サーキュラーエコノミーへの移行を、その中核的な政策目標に位置付けました。日本においても、循環経済政策の目指すべき基本的な方向性を提示するべく、「循環経済ビジョン2020」を経済産業省が公表し、近年、サーキュラーエコノミーに取り組む日本企業も増えてきています。

## 「サーキュラーエコノミー＝リサイクル」ではない

企業の方々と会話すると、「サーキュラーエコノミーってリサイクルのことでしょ？」、「うちの製品はリサイクル率が高いから、サーキュラーエコノミーを実現できている」という声が時々聞かれます。

しかし、これらは誤りです。リサイクルはサーキュラーエコノミーに含まれる要素の1つでしかありません。図4-10は、リニアエコノミーとサーキュラーエコノミーの違いを図示したものです。

## 図 4-10　リニアエコノミーとサーキュラーエコノミーの違い

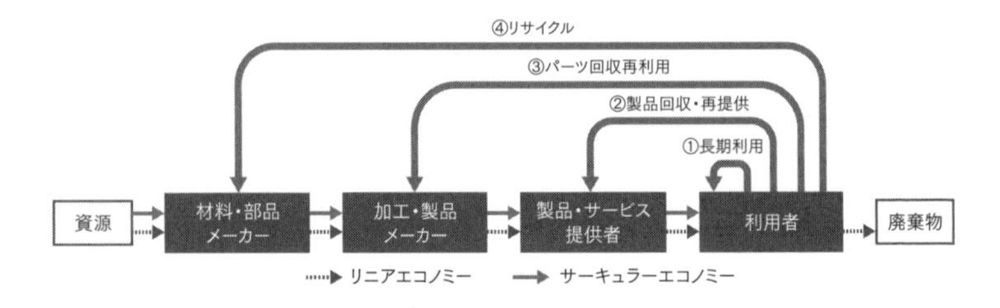


出典：エレン・マッカーサー財団「サーキュラーエコノミーバタフライダイアグラム」を基に ITID 作成

リニアエコノミーでは、資源採取から、材料・部品メーカー、加工・製品メーカー、製品・サービス提供者、利用者とモノが流れ、最終的に廃棄物として処理されます。一方で、サーキュラーエコノミーでは、実線の矢印のようにモノが循環します。

ここでポイントとなるのは、循環の矢印はリサイクルだけではないということです。①アップグレードサービスやシェアリングエコノミーのように、製品を長期間使い続ける矢印、②サービスとしての製品（Product as a Service ; PaaS）のように、製品・サービス提供者が製品を回収し、別の利用者に再提供する矢印、③リマニュファクチャリング事業のように、加工・製品メーカーがパーツを回収し、別製品に再利用する矢印、④リサイクルの矢印の、4 つの循環形態があります。

当然、リサイクルを実施するだけでは、部品や製品の生産量、部品や製品の輸送量は減らないため、環境負荷の抑制効果は限定的です。したがって、図 4-10 に示す 4 つの循環形態のうち、内側の矢印を優先的に実行することが求められます。

また、サーキュラーエコノミーは、サービス化などを通じて付加価値を最大化し、環境負荷抑制と経済成長の好循環を目指す概念です。リサイクルなどの3R（リデュース、リユース、リサイクル）に取り組めば、環境負荷抑制に貢献できますが、経済成長にはあまり寄与しません。そこで、経営戦略・事業戦略として、グローバルな市場に循環型の製品・ビジネスを展開し、中長期的な競争力を強化することが企業に求められます。

## サーキュラーエコノミーの事例

ここからは、サーキュラーエコノミーの事例をご紹介します。

### フェアフォン

まず初めにご紹介するのは、オランダに拠点を置くスマートフォンメーカーのフェアフォン（Fairphone）です。

フェアフォンは企業名でもあり、スマートフォンの名称でもあります。バッテリーやカメラなどのパーツがモジュール化されており、ユーザー自ら簡単にパーツを交換・アップグレードできるモジュール式スマホを販売しています。同社プレスリリースによると、スマートフォンの平均保有期間は2.7年ですが、それを5～7年に延ばすことで、温室効果ガス排出量は28～42％削減できるそうです。

このように、製品のアップグレード、メンテナンス手段の提供などにより、製品の利用期間を長期化することもサーキュラーエコノミーの1つです。

製品の長寿命化により生産量が減るため、環境負荷の抑制効果が高まることは想像しやすいと思いますが、利益面を見るとどうでしょうか。スマートフォンのビジネスモデルとしては、売り切り型が一般的ですが、フェアフォンはリカーリングビジネスと呼ばれるモデルも採用し、スマートフォンの各パーツを販売して収益を上げています。さらに、これらのパーツの多くは再利用やリサイクルが可能で、ほとんど廃棄が出ないように設計されています。

出典：Fairphone ホームページ

## アイカサ

アイカサは、Nature Innovation Group が提供している日本初の傘のシェアリングサービスです。

同社ホームページによると、日本のビニール傘の消費量は年間8,000万本あり、1回使っただけで捨てられてしまうケースが多いそうです。アイカサのサービスを利用して傘を1回レンタルすることで、傘を1本買ったときに比べて692gの温室効果ガス削減につながります。さらに、同社が目指す「使い捨て傘の総量ゼロ」により、年間約4万tの温室効果ガス削減効果が見込めるそうです。

このように、シェアリング・プラットフォームを提供する企業は増えています。一般社団法人シェアリングエコノミー協会によれば、2021年の日本のシェアリングエコノミー市場規模は約2.4兆円であり、2030年度には14.3兆円まで拡大すると予測されています。

空き時間、空きスペース、スキル、使っていないモノなどを活用することで、カーシェアリング、シェアリングサイクル、民泊など、これまで様々なシェアリングビジネスが生まれています。1つの製品を多様な利用者が共有するため、製品価値の最大化と、環境負荷の抑制を同時に実現することができます。

### スワップフィーツ

スワップフィーツ（Swapfiets）は、自転車のサブスクリプションサービスを提供するオランダの企業です。利用者は毎月定額料金を支払って、自転車をレンタルします。もし自転車が壊れれば、無償で修理やメンテナンスサービスを受けられ、自転車が盗まれれば比較的リーズナブルな追加料金で、新しい自転車を迅速に手配してくれます。使わなくなった自転車はリサイクルや再利用することで、廃棄物量の削減、原材料の有効活用が可能になります。

このように、メーカーが製品所有権を有したまま、顧客に提供するビジネスモデルを、サービスとしての製品（Product as a Service；PaaS）と言います。

従来のリニアエコノミーでは、製品の所有権は利用者にありましたので、利用者が製品を使った後に廃棄してしまえば、メーカーは回収しようがありません。しかし、PaaSを始めとするサブスクリプション（サブスク）や前述のシェアリングエコノミービジネスであれば、製品所有権はメーカーに属したままになるため、製品回収・パーツ回収・リサイクルを実行しやすくなり、環境負荷低減につながります。また、メーカーは利用者との関係性を維持し、コミュニケーションを取りやすくなりますし、製品の使われ方も把握しやすくなります。そのため、メーカーにとっては、より付加価値の高い製品を開発しやすくなるメリットもあります。

### コマツ

小松製作所では、現場で長期間稼働した建設機械から取り外したエンジン・トランスミッションなどのパーツを回収し、再提供するリマン事業を展開しています。回収済みパーツを、分解、洗浄、部品交換、再組立、性能検査、塗装、出荷検査などいくつもの工程を経て、新品パーツと同等の品質・性能によみがえらせ、再生パーツとして提供しています。これにより、資源の節約、廃棄物の削減などのメリットを生み出しています。小松製作所ホームページによると、新品をつくった場合に比べて、2021年度でおよそ43,600tの温室効果ガス削減効果が見込まれたそうです。

## サーキュラーエコノミーと<br>カーボンニュートラル

これらの事例から、サーキュラーエコノミーは、リサイクルだけではないこと、環境負荷低減に大きく寄与すること、より製品価値を高められることをご理解いただけたと思います。では、サーキュラーエコノミーを実現することで、温室効果ガス削減にはどれだけ寄与するのでしょうか。

表4-9は、図4-10に示した循環形態と、温室効果ガス削減効果の一般的な関係性を示したものです。

### 表 4-9 循環形態と温室効果ガス削減効果の関係性

| | ①<br>長期利用 | ②<br>製品回収<br>再提供 | ③<br>パーツ回収<br>再利用 | ④<br>リサイクル |
|---|---|---|---|---|
| **資源採取**に伴う GHG 排出量 | ◎ | ◎ | ◎ | ◎ |
| 部品・製品の**生産**に伴う GHG 排出量 | ◎ | ◎ | ○ | × |
| 部品・製品の**輸送**に伴う GHG 排出量 | ◎ | ○ | △ | × |
| 製品の**廃棄**に伴う GHG 排出量 | ◎ | ◎ | ◎ | ◎ |

◎：かなり減る　○：まあまあ減る　△：少し減る　×：減らない

フェアフォンやアイカサの事例のように、製品を長期間利用する場合は、新たな資源採取、新たな部品や製品の生産・物流は発生せず、廃棄物も発生しないので、大きな温室効果ガス削減効果が見込まれます。

スワップフィーツの事例のように、利用者が製品を使い終わったら回収し、別の利用者に再提供する場合は、製品サービス提供者と利用者間の製品輸送が発生しますが、新たな資源採取、部品・製品生産、廃棄物は発生しません。

リマン事業のように、加工・製品メーカーがパーツを回収し、別製品に再利用する場合は、パーツの回収・洗浄・検査・再組立などの工程が発生しますが、新たな資源採取・部品生産・製品廃棄は発生しません。

リサイクルのみであれば、新たな資源採取、製品廃棄は発生しませんが、部品・製品の生産量や物流量は減らないため、温室効果ガス削減効果は限定的です。第3章で述べた通り、製造業では部品・製品の生産に伴う温室効果ガス排出量が大きい傾向にあるため、生産量を減らすことが排出量削減に大きく寄与します。

このように、サーキュラーエコノミーは温室効果ガス削減にも有効で、図4-10における内側の循環形態を優先的に検討することが望ましいと言えます。また、これらは1つのみに絞る必要はなく、複数を組み合わせたビジネスモデルを構築することが肝要です。

先述したフェアフォン社では、使用されなくなった本体や部品が返却されると利用者にキャッシュバックされる仕組みを導入して、ほぼすべての製品を回収しています。返却された多くの部品や素材は再利用が可能で、ほぼ廃棄物が出ません。すなわち、サーキュラーエコノミーの循環形態①～④をすべて組み合わせたビジネスモデルを実現しているのです。

なお、表4-9は一般的な関係性を示したものであるため、業界や製品特性によっても変わること、そして、ビジネスモデルによっては温室効果ガス排出量が増える可能性もあることに留意する必要があります。

また、サーキュラーエコノミーに取り組む際は、広い視野で考える必要があります。例えば、製品の長期利用促進のため、耐用年数を高める設計をした場合、製品1台当たりの温室効果ガス排出量は増える可能性があります。なぜなら、製品使用年数が増えることで、製品使用時の電気使用量や燃料使用量の総量が増えてしまい、Scope 3カテゴリ11「販売した製品の使用」が増えるためです。しかし、製品が長期間利用され、生産台数が減れば、事業全体として見たときの温室効果ガス削減効果が期待できます。すなわちサーキュラーエコノミーに取り組む際は、製品レベルの視野ではなく、事業レベルの視野で考えることが重要になります。

# 環境と経済の好循環を実現するビジネスモデルを検討する

サーキュラーエコノミーは、環境と経済の好循環を目指す概念ですので、稼げるビジネスモデルを考えなければいけません。そのために、ビジネスモデルを以下の3つの要素に分解し、その組み合わせを考えます。

- サービス提供方針
- 長期利用化の仕組み
- 製品回収形態

「サービス提供方針」としては、表4-10に示すように、従来の売り切り型に加え、サービスとしての製品（PaaS）に代表されるサブスク型やシェアリング型、レンタル型、プーリング型などが挙げられます。

**表 4-10　サービス提供方針**

| サービス提供方針 | 説明 | 例 |
|---|---|---|
| 売り切り型 | 利用者は製品購入のために初めに代金を支払い、製品所有権が利用者に移るモデル | 自動車販売<br>家電販売 |
| サブスク型 | サービス提供側が製品所有権を持ち、利用者は定期的に代金を支払って製品を利用するモデル | スワップフィーツ<br>自動車サブスクサービス |
| シェアリング型 | 複数の利用者が製品を共有するモデル | アイカサ<br>カーシェアリング |
| レンタル型 | サービス提供側が製品所有権を持ち、利用者は利用するごとに代金を支払うモデル | レンタカー<br>DVD レンタル |
| プーリング型 | 利用者は他者と同時に同一製品を利用するモデル | 同じ目的地に向かう複数の利用者が1台の自動車に相乗りするライドシェアリングサービス |

次に、「長期利用化の仕組み」としては、製品耐用年数が長くなる設計（長寿命化）、製品の故障を予防するメンテナンスサービス、製品故障時の対応を行う修理サービス、製品やそれに含まれるパーツ、ソフトウェアを更新するアップグレードサービスなどの方策があります。

最後に、「製品回収形態」としては、主に「製品として回収し、再提供する」、「パーツとして回収し、再利用する」、「素材として回収してリサイクルする」の3種類があります。

「サービス提供方針」と「長期利用化の仕組み」の各要素を組み合わせて収益性が見込めるビジネスモデルを立案し、さらに「製品回収形態」を検討して環境貢献性も高めます。

自動車を例に考えると、表4-11に示すように、「サービス提供方針」と「長期利用化の仕組み」を組み合わせることにより、従来から見られる売り切り型のビジネスモデルの他に、燃料従量制サブスクリプション、カーシェアリングビジネス、レンタカービジネス、といった具体的なビジネスモデルを立案できます。そして、それぞれのビジネスモデルに対して、「製品回収形態」を考慮し、「消費者から返却された自動車を回収して再利用できないか」、「回収した自動車を分解して、リサイクルできないか」などを考えます。

ビジネスモデルの中に、温室効果ガスを低減させる仕組みを入れることもできます。例えば、通常の自動車のサブスクリプションサービスは、月額定額料金を消費者が支払う仕組みですが、月額定額料金に加えて、燃料使用量に応じて支払金額を増減させる仕組みを導入すると、消費者には燃費の良い運転をする意識が生まれ、製品使用時における温室効果ガス排出量低減につながります。

ビジネスモデルを立案した後は、図4-11に示すように、収益性、環境貢献性、実現性の3軸でモデルを評価します。

収益性は、売上、利益、付加価値額などの観点で評価します。サーキュラーエコノミーは、初期投資（製品としての価格）をメーカーが負担し、継続的に収益を上げるモデルですので、長期的な視点で評価します。

環境貢献性は、製品ライフサイクルにおける温室効果ガス排出量、製品やパーツの生産量・物流量などで評価します。

実現性は、消費者における製品利用状況管理の仕組みを構築できるか、海外も含めて製品回収スキームを構築できるか、といった事業としての実現性や、技術的な達成確度、モデルへの適社度などで評価します。

## 表4-11　自動車におけるビジネスモデル検討イメージ

| ビジネスモデル | サービス提供方針 | | | | | 長期利用化の仕組み | | | | 製品回収形態 | | | 評価 | | |
|---|---|---|---|---|---|---|---|---|---|---|---|---|---|---|---|
| モデル名 | 売り切り | サブスク | シェアリング | レンタル | プーリング | 長寿命化 | メンテナンス | 修理 | アップグレード | 製品回収 | パーツ回収 | 素材回収 | 収益性 | 環境貢献性 | 実現性 |
| **従来型ビジネス**<br>・製品販売後、メンテ修理サービスを提供<br>・使用後は中古車販売<br>・耐用年数経過後はリサイクル | ○ | | | | | | ○ | ○ | | ○ | | ○ | 3 | 1 | 5 |
| **月額定額制×燃料従量制サブスク**<br>・ソフトウェア更新サービスやメンテナンスサービスを提供<br>・月額定額料金に加えて、燃料使用量に応じて支払金額を増減<br>・パーツ回収後は別機種に再利用<br>・耐用年数経過後はリサイクル | | ○ | | | | | ○ | | ○ | ○ | ○ | ○ | 4 | 4 | 4 |
| **カーシェアリング**<br>・製品寿命が長い製品をメンテ・修理サービスでさらに長期利用化<br>・ソフトウェア更新サービスやメンテナンスサービスを提供<br>・パーツ回収後は別機種に再利用<br>・耐用年数経過後はリサイクル | | | ○ | | | ○ | ○ | ○ | ○ | ○ | ○ | ○ | 3 | 5 | 4 |
| **レンタカー**<br>・利用者は利用ごとに代金を支払い<br>・長期利用の仕組みは故障時の修理のみ<br>・使用後は中古車販売<br>・耐用年数経過後はリサイクル | | | | ○ | | | | ○ | | ○ | | ○ | 3 | 2 | 5 |
| ＊＊＊ | | ○ | | | | ○ | | | | ○ | ○ | ○ | 2 | 4 | 3 |
| ＊＊＊ | | | | ○ | | | ○ | ○ | | | ○ | ○ | 5 | 4 | 1 |
| ＊＊＊ | | | | | ○ | | | ○ | | | | ○ | 1 | 3 | 2 |

図 4-11 ビジネスモデル評価のイメージ

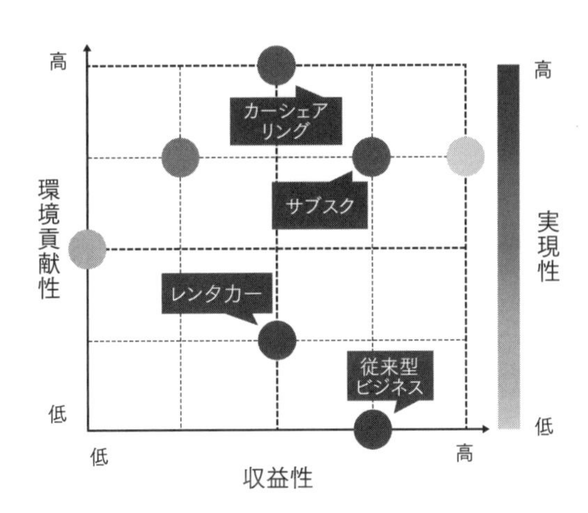


## ビジネスモデル成立のための製品要求を整理する

ビジネスモデルを検討・比較した後は、ビジネスモデルに関わるステークホルダー要求を整理します。ここでのステークホルダー要求とは、ビジネスモデルを実現するために応えなければいけない要求です。

例えば、カーシェアリングプラットフォームを提供し、一定年数利用後は製品ごと回収して、一部のパーツを再利用し、再利用が困難な部品はリサイクルするビジネスモデルを考えると、ステークホルダーとしては、製品利用者、プラットフォーム運用事業者、製品メーカーの製造部門、製品回収・輸送事業者、リサイクル事業者などが考えられます。

そして、以下のようなステークホルダー要求が、例として挙げられます。

■製品利用者からの要求

清潔な状態で利用したい

シェアするコミュニティを限定したい

常に新しい車を利用したい　など

■プラットフォーム運用事業者

自動車を長期間提供できるようにしたい

利用者管理を簡素化したい

自動車メンテナンスに手間をかけたくない　など

■製品メーカーの製造部門

パーツの利用履歴を管理したい

回収したパーツを他車種にも組めるようにしたい

品質管理に手間をかけたくない　など

ステークホルダー要求を洗い出した後は、ビジネスモデルを構成する「サービス提供方針」、「長期利用化の仕組み」、「製品回収形態」の各要素と、各要求がどのように紐付くか整理します。このような整理を行うことにより、評価したビジネスモデルに対してネックになる要素が明確になり、モデルの見直しに活用することができます。

その後、ステークホルダー要求を製品要求に落とし込みます。ステークホルダー要求の主語はステークホルダーですが、製品要求の主語は製品です。例えば、「清潔な状態で利用したい」という製品利用者からの要求であれば「自動車が衛生的であること」という製品要求が考えられます。「自動車を長期間提供できるようにしたい」というプラットフォーム運用事業者からの要求であれば「自動車の耐用年数が長いこと」という製品要求が考えられます。中には、製品ではなく、仕組みで対応すべきステークホルダー要求もありますので、すべてを製品要求に落とし込む必要はありません。

そして、図4-12のように、ビジネスモデル、ステークホルダー要求、製品要求をツリー形式で整理します。

製品要求を整理した後は、あらゆる設計手法を用いて、実現手段を検討します。ここは製品開発者の腕の見せどころとも言えます。前述したFA法などを用いて、実現手段を検討することができます。製品レベルでは複雑すぎて検討が難しければ、第5章で説明するQFD（品質機能展開）を用いて、製品要求をユニット要求に落とし込むことで、実現手段を検討しやすくなります。

このように、まずビジネスモデルを検討し、それを実現するための製品要求を整理することで、「立案したビジネスモデルを実現するために、どのような製品を開発すれば良いか」が具体化されます。これにより、事業企画・製品企画・製品開発が連携でき、収益性と環境貢献性の双方を高めることにつながります。

## 図 4-12　ビジネスモデルと製品要求の整理の例

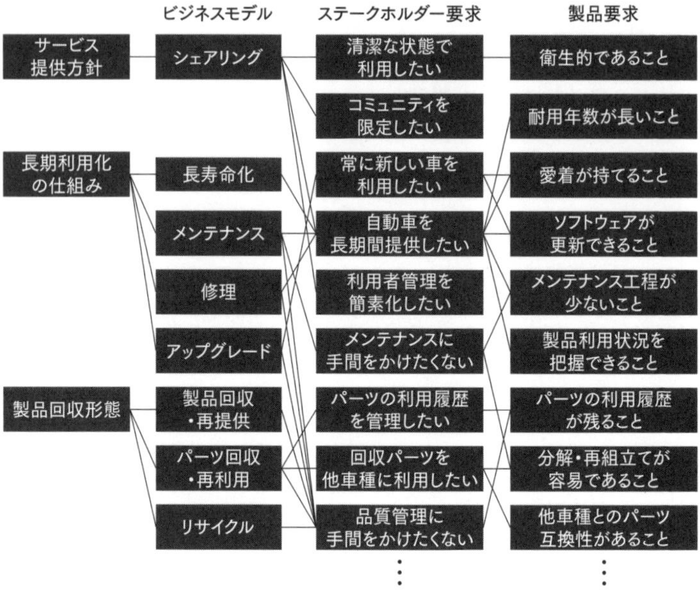

サービス提供方針
長期利用化の仕組み
製品回収形態

ビジネスモデル
シェアリング
長寿命化
メンテナンス
修理
アップグレード
製品回収・再提供
パーツ回収・再利用
リサイクル

ステークホルダー要求
清潔な状態で利用したい
コミュニティを限定したい
常に新しい車を利用したい
自動車を長期間提供したい
利用者管理を簡素化したい
メンテナンスに手間をかけたくない
パーツの利用履歴を管理したい
回収パーツを他車種に利用したい
品質管理に手間をかけたくない
⋮

製品要求
衛生的であること
耐用年数が長いこと
愛着が持てること
ソフトウェアが更新できること
メンテナンス工程が少ないこと
製品利用状況を把握できること
パーツの利用履歴が残ること
分解・再組立てが容易であること
他車種とのパーツ互換性があること
⋮

# 4 気候関連の新たな事業創出

## メガトレンド×企業の強み＝魅力的な新事業

既存事業における温室効果ガス削減のみに囚われていては、いずれ限界が来ます。気候変動問題により、すでに衰退が見込まれている市場もありますし、予期しない外部環境変化により、既存事業だけでは立ち行かなくなる恐れもあります。

一方で、気候関連問題に伴う世の中の変化は激しく、数多の事業機会が存在します。社会の温室効果ガス排出量の削減に寄与する事業、水害などの物理的リスク軽減に寄与する事業など、気候変動に関連する社会課題の解決ニーズは今後さらに高まると思われます。新事業領域への進出も視野に入れ、新たな収益源の獲得、レジリエントな事業ポートフォリオ構築を図ることで、企業が持続的に存続・成長し、サステナブルな社会を実現することができます。

事業の多角化戦略を採る際、一般的に、無関連多角化より関連多角化の方が成功確率は高いと言われています。なぜなら、既存事業における経営資源を新事業でも利用でき、シナジー効果が得られるためです。

経営資源には、高い技術力、効率化された生産プロセス、サプライヤーとの良好な関係性、幅広い販売チャネル、顧客との継続的なつながり、多様な人材、ブランド力など、様々なものが挙げられます。そして、価値が高く、希少で、模倣困難性が高い経営資源、すなわち企業の強みを活用することで、新たな事業の成功確率が高まります。

しかし、強みを活かせる事業機会であっても、すでに成熟しきった市場もあれば、競争が激しい市場もあります。このような市場に参入しては、早々の撤退を余儀なくされてしまうでしょう。したがって、将来の成長が見込め、まだ競争が激しくない市場を狙わなければいけません。そのためには、気候変動問題に関わる社会の変化すなわちメガトレンドを押さえることが大切です。

気候変動問題に伴い、エネルギー供給、自然災害への対応などの社会課題が、これまでに増して顕在化してきました。これからも新たな社会課題が現れると予想されます。そして、これらの社会課題は、私たちにとって深刻なものであると同時に、多くのニーズの源泉でもあります。顕在化していないニーズに応える市場は成熟しておらず、まだ競争が激しくない市場も多くあります。このような事業に早期に参入し、基盤を整えることで、収益を上げながら、参入障壁を高めることができます。

このように、メガトレンドと企業の強みの掛け算で新事業を検討することで、新たな市場で長期的に収益を上げられる可能性が高まります。

## 社会のニーズを把握する

ニーズを把握するために、まずPEST分析などの手法を用いて、気候変動問題に関するトレンドを整理します。PEST分析とは、Politics（政治・政策）、Economy（経済）、Society（社会）、Technology（技術）という4つの視点から、外部環境変化を分析する手法です。

気候変動問題に関するトレンドの例を表4-12に示します。

## 表 4-12　気候変動問題に関するトレンドの例

| Politics　政治・政策 | Economy　経済 |
|---|---|
| ・炭素国境調整措置の導入<br>・低炭素経済への移行支援事業の促進<br>・炭素税や炭素賦課金の導入・拡大<br>・排出量取引制度の導入・拡大<br>・サイクリングロードの整備・拡大 | ・脱炭素経営の進展・拡大<br>・循環型経済への移行<br>・低炭素輸送（EV など）の普及<br>・ZEB・ZEH の普及<br>・$CO_2$ 排出量情報の企業間連携促進<br>・電力グリッド網への投資拡大 |
| **Society　社会** | **Technology　技術** |
| ・環境意識が高い Z 世代の台頭<br>・低炭素社会への移行<br>・エシカル消費の普及<br>・再生可能エネルギーの普及<br>・生態系への負荷増大<br>・気候関連情報の膨大化<br>・水素需要の拡大<br>・水害被害の増加 | ・温室効果ガス吸収技術の進展<br>・軽量化技術の高度化<br>・バイオマス材料技術の進展<br>・燃料電池技術の発展<br>・蓄電池容量の拡大<br>・環境負荷が低い二次電池の研究進展<br>・再エネの高効率化<br>・ケミカルリサイクル技術の進展 |

しかし、気候変動問題に関するトレンドを整理するだけでは、顧客ニーズは把握できません。また、膨大な顧客ニーズが存在するため、自社との関連性が低いニーズをすべて把握することは非効率的かつ困難です。そこで、企業理念やパーパスも考慮して、自社として解決すべき顧客課題の方向性を定め、これらのトレンドから、顧客の行動・状況がどう変化するかを予測します。そして、行動・状況の変化からニーズを見出します。ここでいう顧客は、既存顧客だけではなく、将来顧客になり得る企業や個人も含まれます。

B to B 事業であれば、顧客のバリューチェーンの改善行動に着目するとニーズを見出しやすくなります。

バリューチェーンはマイケル・ポーターが提唱した概念で、図 4-13 のように、支援活動と主活動で構成されます。

主活動とは、製品やサービスの製造・販売に直接関係する活動のことです。例えば、バリューチェーンの「製造」を分解すると、その1つに調達品の検査行動があります。ある企業では、検査を人の目で実施していたことで、本来合格であったはずの調達品まで不合格扱いしてしまい、廃棄量が増えていました。これと、「低炭素社会への要請の高まり」というトレンドを掛け合わせて考えると、「検査におけるばらつきを抑えて、廃棄品を減らしたい」といったニーズを見出すことができます。

支援活動とは、製品やサービスの製造・販売に直接関係しないものの、主活動を進める上で欠かせない活動です。例えば、人事・労務管理活動に着目して、「異常気象の増加」というトレンドと掛け合わせて考えると、「応急救護法や心肺蘇生法の訓練を受けた従業員を増やしたい」といったニーズが考えられます。

**図 4-13　企業のバリューチェーンの基本形**

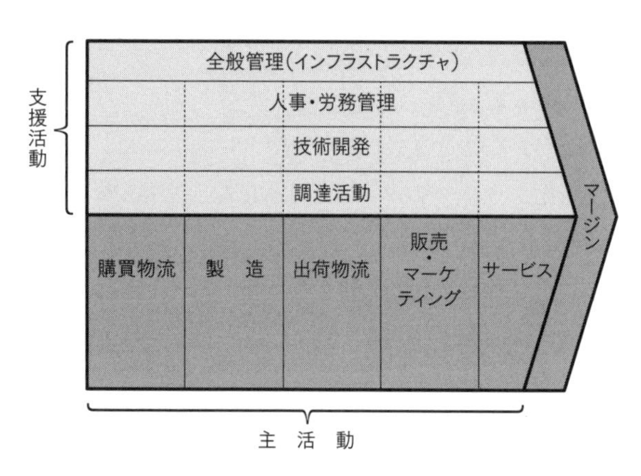


出典：M.E. ポーター『競争優位の戦略　いかに高業績を持続させるか』

また、B to B 事業における顧客ニーズ抽出においては、第3章で述べたTCFD提言も活用できます。昨今は、多くの企業が気候関連リスク・機会を、ホームページや統合報告書などで開示しています。このような企業のリスク回避行動や機会獲得行動に着目することもできます。

次に、B to C 事業であれば、生活者個人の本質的な欲求と、行動・状況の変化に着目すると、ニーズを見出しやすくなります。欲求の分類には様々なものがありますが、製品やサービス開発に活用しやすいものとして、表4-13に示す9つの本質的欲求があります。

**表4-13　9つの本質的欲求**

| カテゴリ | 意　味 | キーワード |
|---|---|---|
| 生理・生存 | 生きていく上で欠かせない基本的、生理的な欲求 | 生きる、生き残る |
| 安定・安全 | 生活や現状が脅かされないことを求める欲求 | 安定した、問題のない、安心できる、信頼のできる、リスクのない |
| 利便・快適 | 生活の質をより向上させることを求める欲求 | 便利に、手軽に、簡単に、いつでも、すぐに、快適に |
| 変化・刺激 | 別の自分や非日常体験を求める欲求 | ワクワクした、刺激的に、いつもとは違う、開放的な、物珍しい、楽しく、飽きずに |
| 名誉・尊厳 | 他人からの承認や尊敬されることを求める欲求 | 認められ、尊敬され、称賛され、尊重され |
| 構築・愛着 | 自分の興味・関心などを追求する欲求 | 自分だけの、カスタマイズされた、美しい、執着して、大事に、残して、完成され |
| 愛情・所属 | グループに所属し親しくする欲求 | 一緒に、仲良く、つなげて、思いやって |
| 向上・達成 | 理想の自分を達成したり、理想のものを入手する欲求 | 到達した、今よりもよく、困難を乗り越えて |
| 調和・貢献 | 人や自然に対して貢献する欲求 | 献身的に、愛して |

出典：村山誠哉、大屋雄『イノベーションの壁』

例えば、東京都では自転車走行空間整備推進計画を策定し、2030年度までに約600kmの自転車走行空間の整備を目指しています。

このようなトレンドから、生活者個人の行動や状況の変化を考えると、「自転車通勤の会社員が増える」という変化が考えられます。これに、「利便・快適」の欲求と掛け合わせると、「スーツを着て自転車を運転しても、快適な状態を保ちたい」というニーズを見出すことができます。このニーズから、「ストレッチ性や防シワ性が高い自転車通勤用スーツ」のような新たなアイデアを考えることができます。

**図 4-14　ニーズ把握の流れ**

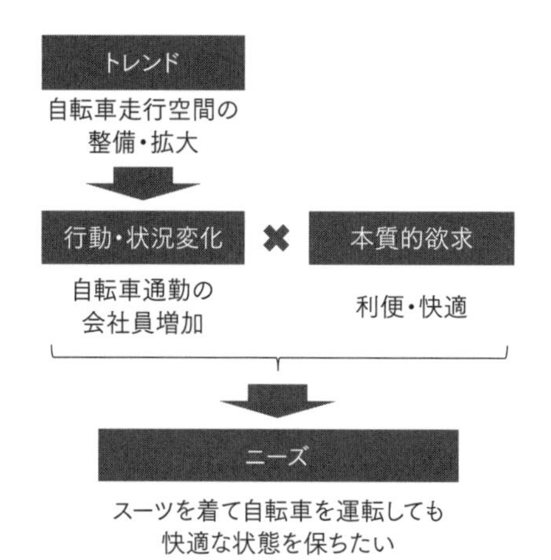


なお、市場ニーズを抽出しても、誰もが気づいているニーズであれば、あっという間に競争が激化してしまう恐れがあります。そのため、新たなニーズを掘り起こして、事業を立ち上げる際は、以下のいずれかの方針を踏まえることに留意が必要です。

1．今は規模が小さくても中長期的に見て成長が見込める市場に、早期に参入し、参入障壁を高める
2．顧客の行動・状況を細かくブレークダウンすることで市場を細分化し、ブルーオーシャンに参入する（ニッチ市場を見出す）
3．強みを活かして、激しい競争にも勝てる見込みがある市場に参入する

## 自社のシーズを把握する

次に自社の強みを整理します。特に製造業において、自社の最大の経営資源であり、コアコンピタンスとなるのが、技術力です。そこで、ここでは、自社が保有している技術（シーズ）の棚卸し方法を紹介します。

技術の棚卸しの際は、技術の特長、機能、効能（価値）、効能を発揮する場面や用途などを整理していきます。例えば、永久磁石材料技術を保有している場合、表4-14のように整理できます。

ポイントは、技術の効能や、効能を発揮する場面・用途まで整理することです。「永久磁石材料技術に強みがある」というだけでは、その技術により、どのような価値を提供できるのか分かりません。そのため、「サイズが小さくても、強い磁力を生成でき、高い保磁力を有する」のように効能（価値）まで記載し、効能を発揮する場面・用途として「電子デバイス・機器の小型軽量化、省エネ化」、「高温で逆磁界にさらされるような厳しい環境でも磁力を保持」と具体的に整理しておくことで、対応できるニーズを検討しやすくなります。

また、この段階では、温室効果ガスへの影響などに限定して効能を整理するのではなく、なるべく幅広に記載します。さらに同様の効能

を別の技術で代替できてしまわないか、この技術は簡単に模倣できないかといった観点で、技術の価値を評価しておきます。

**表 4-14　永久磁石材料技術の棚卸しの例**

| 整理の観点 | 内容 |
|---|---|
| 技術名称 | 永久磁石材料技術 |
| 特徴 | ・磁力が強い<br>・保磁力が高い<br>・高温特性に優れる<br>・低価格<br>・入手性に優れる |
| 機能表現 | 永久磁場を生成する |
| 効能（価値） | 強い磁力を生成できる、高い保磁力を有する |
| 効能を発揮する用途 | ・電子デバイス・機器の小型軽量化、省エネ化の手段<br>・高温で逆磁界にさらされるような厳しい環境で磁力を保持 |
| 進化の方向性 | 高温特性の向上 |
| 模倣困難性 | 特許取得済みであり、模倣困難性は高い |

## 事業アイデアを創出する

ニーズとシーズを把握した後は、図 4-15 のように、縦軸、横軸にそれらを並べ、そのマトリクスから新事業アイデアを検討します。

例えば、「電気自動車の普及に伴い、高効率モータを調達したい」という自動車メーカーのニーズに対して、家電部品メーカーが保有する永久磁石材料技術を用いることで、「希少資源を使わない高効率永久磁石材料を用いた、電気自動車用ホイール駆動用モータ」の事業アイデアが生まれます。

図 4-15　ニーズとシーズの掛け合わせ

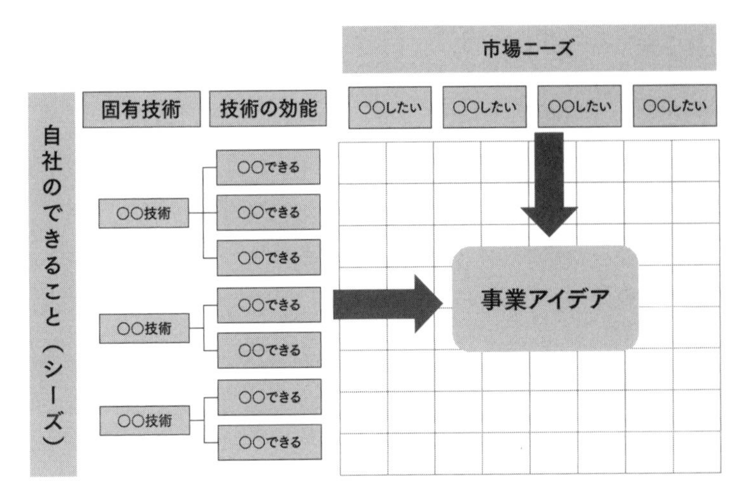


事業アイデアを創出した後は、ビジネスモデルも検討します。先述した通り、サーキュラーエコノミー実現の観点で、収益性、環境貢献性が高いビジネスモデルを検討することがより望ましいと言えます。

ここで紹介した手法は一例であり、経営資源には技術力以外にも多くのものがあります。企業が保有する複数のケイパビリティを掛け合わせることで、模倣困難性が高まり、競争優位を得やすくなります。

## 事業アイデアを評価する

事業アイデアを具体化した後は、「提供価値の高さ」、「事業の実現可能性」、「事業運営の継続性」、「収益性」、「リスク分散性」などの観点で、アイデアの評価を行います。

## 提供価値の高さ

提供価値の高さとは、その事業に伴う温室効果ガス排出量に対して、製品やサービスを通じて顧客へ提供できる価値の高さのことで、第3章で解説したGHG効率の考え方を用います。GHG効率の分子である「製品・サービスの便益」の数値化は難しいケースが多いため、ターゲットになり得る想定顧客へのアンケートなどにより、評価を行います。

顧客企業の温室効果ガス削減に寄与する製品・サービスであれば、削減貢献量などの指標を用いて評価することができます。削減貢献量とは、社会の温室効果ガス削減への貢献量を示す指標のことで、以下の式で表されます。

削減貢献量＝社会の温室効果ガス削減量－自社の温室効果ガス増加量

新たな事業に参入すれば、自社サプライチェーンにおける温室効果ガス排出量は増加します。例えば、新たに太陽光パネルの製造・販売事業に参入した場合、火力発電の代替により社会全体の温室効果ガス排出量の削減に貢献できますが、太陽光パネルの生産や流通に伴って温室効果ガスが排出されるため、その企業の排出量は増えることになります。その差分を削減貢献量として評価します。ただし、削減貢献量については、国際的に明確な定義はなく、設定したシナリオによって数値が変わることに留意が必要です。

## 事業の実現可能性

事業の実現可能性は、アイデアの実現にかかる期間やリソースで評価します。特にカーボンニュートラルに関する事業は、自社単独では実現困難でも他企業や研究機関、自治体などと連携することで実現できる可能性が高まります。他者との協業を視野に、実現に必要なエコシステムの全体像を検討した上で、実現に必要な期間やリソースを見積もります。

### 事業運営の継続性

事業運営の継続性は、継続的に競争優位を得られるかどうかの視点で評価します。ファイブフォース分析などにより、現時点で考えられる競争環境の分析を行い、脅威が弱いほど継続的に事業を運営できます。

### 収益性

収益性は、売上、利益、投資回収期間などで評価します。前述したライフサイクルリターンやライフサイクルROIを用いても構いません。

### リスク分散性

新規事業創出目的の１つに、事業ポートフォリオ構築によるリスク分散がある場合は、リスク分散性も評価します。既存事業と新事業の関連性が低いほどリスク分散性は高まりますが、シナジー効果が薄まることに留意が必要です。

このように事業アイデアを評価し、魅力的なアイデアが生まれたら、気候関連以外の新事業創出の流れと同様に、アイデアの具体化、アイデアの検証を経て、事業化実行段階に移行します。

前述の通り、新事業を創出することは、自社にとっては温室効果ガス排出量が増える取り組みですので、アイデアの具体化や事業化の実行段階に移行する際は、これまでに解説した温室効果ガス低減手段の検討、サーキュラーエコノミーへの移行も併せて検討し、自社の排出量を抑制しながら、社会の気候変動問題に対処する視野が求められます。

# CHAPTER 5

## 継続的に実行・管理する

# 1 温室効果ガス排出量管理

## 対策の実行・管理のための仕組みづくり

温室効果ガス削減施策の実行計画や、新規事業開発計画を策定した後は、計画を推進するための体制を構築し、関係部署とともに実行に着手します。そして、継続的にモニタリングを行い、PDCAを回します。日程計画、予算計画、リソース計画などを管理し、必要に応じて計画を修正します。

当然のことながら、温室効果ガス排出量も定期的に算定し、モニタリングを行います。企業全体の排出量だけでなく、施策ごとに温室効果ガス削減効果やKPI達成状況をモニタリングし、予実を管理します。そして、想定通りに温室効果ガスを削減できていなければ、その要因をあぶり出し、対策を立てます。

## 図 5-1　温室効果ガス削減の PDCA サイクル

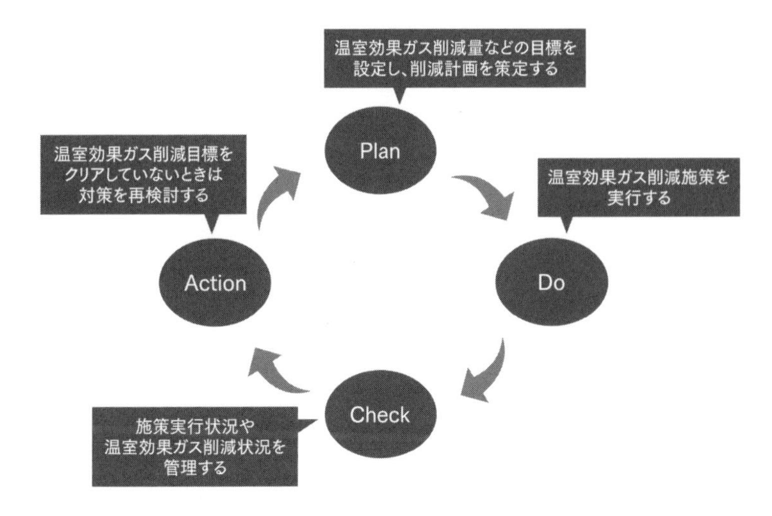


温室効果ガス排出量管理のためには、仕組みづくりが重要です。温室効果ガス排出量の管理責任者を設置し、誰がどれくらいの頻度で算定するか決めます。

また、排出原単位データベースのメンテナンスも欠かせません。「サプライチェーンを通じた組織の温室効果ガス排出等の算定のための排出原単位データベース（環境省）」、「LCI データベース IDEA（サステナブル経営推進機構）」、「電気事業者別排出係数（環境省）」などは繰り返し更新されますので、最新のデータベースを入手します。

さらに、コミュニケーションを促す仕組みづくりも重要です。カーボンニュートラルは全社一丸となって取り組むべき課題です。ある部署での成功例を他部署に共有するような会議体を設ける、大部屋方式を取り入れ、関連部門同士が膝を突き合わせて対話するなど、社内のコミュニケーションを活発化することで、目標未達要因を打破する解決策が出るかもしれません。

## 製品開発段階における製品 CFP 管理

製品開発段階においては、製品 CFP（カーボンフットプリント）の管理も重要です。製品の企画・設計段階で、製品ライフサイクルにおける温室効果ガス排出量のほとんどが決まってしまうため、開発段階で管理し、削減活動を進めなければいけません。

そのため、第 3 章で説明した排出原単位テーブルのメンテナンスも定期的に行います。かなり骨が折れる作業ですが、メンテナンスを怠ると、算定精度が低下してしまいます。そして、構想設計完了時、詳細設計完了時、生産準備完了時といったマイルストーンごとに製品 CFP の見積もり量を管理します。

また、多くの企業は、品質問題未然防止や製品コスト目標達成のために、ディスカッションや DR（デザインレビュー）を実施しています。製品カーボンフットプリントも同様に、各マイルストーンで適切にレビューし、PDCA を回さなければいけません。

留意点として、現状の製品 CFP 見積もり量の報告・承認のみに終始し、形式的に開催するレビューだけでは、PDCA は回りません。有識者も交えて、製品 CFP 目標達成の阻害要因となる技術リスクや、温室効果ガス削減策を建設的に議論し、より良い設計につなげることが重要です。

## デジタル技術を活用する

現代は DX の時代とも言われるように、デジタル技術は目まぐるしい速度で進歩しています。経済産業省が発表した「2050年カーボンニュートラルに伴うグリーン成長戦略」では、「グリーンとデジタルは、車の両輪である」と明記されており、エネルギー需要の効率化、省エネ化、クレジット取引促進など、至るところでデジタル技術が欠かせません。

企業が温室効果ガス排出量を算定・管理する場面でも、デジタル技術を活用できます。それは、温室効果ガス排出量の管理システムの導入です。初めはExcelで管理しても構いませんが、規模が大きい企業では温室効果ガス排出量の管理システムを導入した方が、はるかに業務効率が高まります。

表5-1に主要なツールを記載しています。業務効率化が見込めるか、自社の算定方法を用いることができるか、Scope 3排出量までカバーできているか、費用は妥当か、排出量の削減にもつながるか、ダッシュボードは見やすいかなど、企業の目的や状況に応じて適切なツールを選択します。

## 表5-1　主な温室効果ガス排出量管理ツール

| 企業名 | ツール |
|---|---|
| Salesforce | Net Zero Cloud |
| ゼロボード | GHG排出量算定・可視化クラウドサービス「zeroboard（ゼロボード）」 |
| chaintope | $CO_2$削減量を可視化するサステナビリティAPI |
| 日本電気 | 環境パフォーマンス管理ソリューションGreenGlobeX（グリーングローブエックス） |
| 日本マイクロソフト | Microsoft Cloud for Sustainability |
| 日本IBM | IBM Envizi ソリューション |
| 三井住友銀行 | GHG排出量の可視化・算定クラウドサービス「Sustana」 |
| IHI | 「ILIPS環境価値管理プラットフォーム」 |
| 野村総合研究所 | NRI CTS |
| パーセフォニジャパン | カーボンマネジメントプラットフォーム「パーセフォニ」 |
| SAPジャパン | SAP Product Footprint Management |

出典：Green x Digitalコンソーシアム見える化WG「サプライチェーン$CO_2$の“見える化”のための仕組み構築に向けた検討　準備フェーズ・一次レポート」に基づき、ITID編集

Scope 1､2排出量のみの算定でしたら、「温室効果ガス排出量算定・報告・公表制度報告書作成支援ツール」を環境省ホームページからダウンロードして活用できます。

また、各部門の業務を支援するシステムも豊富にあります。電通国際情報サービス（ISID）では、製品開発業務のKPI管理を支援するシステムを提供しています。品質問題解決数、製品コスト、温室効果

ガス排出量などのKPIを、ダッシュボードでリアルタイムに表示してくれるため、製品開発における目標管理に役立ちます。これ以外にも、同社では、工場の電力をベースに温室効果ガス排出量をリアルタイムに見える化するツール、発電量が最小となる発電機器の組み合わせと充放電タイミングを算出してくれる電力機器運用最適化ツール、最適化エンジンにより「納期遵守、コスト最小、温室効果ガス最小」となる調達先を導出してくれる物流最適化ツールなども提供しています。

## 脱炭素の取り組みや排出量を開示する

温室効果ガス排出量や削減施策実行状況の社内管理だけではなく、社外へ向けた開示も重要です。昨今、カーボンニュートラルに向けた取り組み状況の開示要請はますます強まっています。第1章でお伝えした通り、プライム市場上場企業には、TCFDの提言に基づく気候変動関連の情報開示が実質的に義務付けられました。温室効果ガス排出量も開示し、金融市場における透明性を高めることが求められています。

また、積極的にカーボンニュートラルに向けた取り組みを開示し、企業ブランディングにつなげることも大事です。カーボンニュートラル実現に向けてしっかり取り組んでも、それを適切に開示しない限り、社会からの評価は高まりません。企業の取り組みを開示し、社会からの評価が高まることで、種々の恩恵を享受できる可能性があります。

第1章で述べた通り、全世界や日本のESG投資残高は増加傾向にあり、気候変動関連の情報を積極的に開示することで、企業の株価向上を期待できます。昨今はグリーンコンシューマーが増えているため、消費者向けにカーボンニュートラル実現に向けた取り組みをPRすることで、エシカル消費による売上向上が期待できます。また、Z世代は気候変動問題への関心が高いことから、就職活動者向けにPRすることで、新卒、第二新卒の優秀な人材を採用できる可能性が高まります。

開示指標としては、温室効果ガス排出量をただ開示するだけではなく、ステークホルダーにとって分かりやすい形で開示することが有効です。例えば、フランスの食品会社ダノンでは、1株当たり炭素調整後利益を公表しています。1株当たり利益（EPS）は、投資家が投資判断に行う際に注目する指標の1つですが、温室効果ガス排出量については考慮されません。そこで、温室効果ガス排出量1t当たり35ユーロとして排出コストを計算し、炭素調整後利益を導出しました。これを発行済み株式数で除した1株当たり炭素調整後利益を2019年から公表しています。

昨今はインパクト加重会計にも注目が集まっています。インパクト加重会計とは、企業活動が環境や社会にもたらすプラスやマイナスの影響（インパクト）を貨幣価値に換算する手法のことです。積水化学工業では、気候変動に関連する影響を加味して「ステークホルダー包括利益」を算出しています。これは、当期利益だけでなく、気候変動問題に取り組む従業員の雇用創出額、事業活動に伴う温室効果ガス排出による経済損失なども考慮した利益のことです。貨幣価値換算には、LIME2と呼ばれる、環境影響を金額で表す手法を用いています。環境影響を金額に換算する手法はいくつかありますが、LIME2は日本の特殊性を反映していることが特徴的です。

また、開示方法としては、統合報告書や環境報告書で開示することが一般的ですが、それだけでは不十分です。金融機関や機関投資家は閲覧する可能性が高いですが、消費者は商品を購入する際、わざわざ統合報告書を確認することは多くありません。そのため、消費者向けであればTVコマーシャルを活用したり、商品パッケージに製品カーボンフットプリントを記載したりする対応が求められます。就職説明会などで就職活動者向けにPRするためには、人事部門への教育も欠かせません。

このように、企業や商品に関わるステークホルダーに適した形で、適した情報を提供することが大切です。

# 2 業務プロセス整備

## プロセスを整備して QCDG 目標達成

ここでは、特に製品開発の業務プロセスについて説明します。

これまで多くの製造業は、製品開発における QCD 目標達成のために、品質管理プロセスや原価管理プロセスを整備してきました。今後は、温室効果ガス排出量などの環境目標達成も考慮に入れ、QCDG 目標を達成するためにプロセスを見直し、より高度かつ効率的にプロセスを遂行する必要があります。

Q: Quality　品質・機能
C: Cost　コスト
D: Delivery　納期
G: GHG　温室効果ガス排出量

製品企画段階で、新製品の温室効果ガス排出量目標の設定や、サーキュラーエコノミー実現のための製品要求の整理を実施した後は、実現手段を検討する段階に入ります。その際、多くの製造業の開発部門の前には、以下のような壁が立ちはだかります。

- 温室効果ガス排出量目標の達成や、製品要求実現のために、ユニット設計担当者、部品設計担当者は何をすれば良いか分からない
- 温室効果ガス排出量の低減策を施した際に、他の製品要求への影響を見落としてしまう
- ユニットや部品の生産に伴う排出量の低減優先度が分からない

- ■他社製品の温室効果ガス排出量を分析できず、自社製品の開発に活かせない
- ■サーキュラーエコノミー移行の際、品質管理プロセスや原価管理プロセスをどのように変えれば良いか分からない

このような問題を、製品開発の業務プロセスに着目して解決します。

## QFDを用いて、製品要求を落とし込む

企業の開発部門から、「温室効果ガス排出量目標の達成や、製品要求実現のために、ユニット設計担当者、部品設計担当者は何をすれば良いか分からない」という悩みの声がよく聞かれます。特に、新規性が高い製品ほど、製品性能実現のメカニズムが不明瞭であるケースが多く、問題意識が強い傾向にあります。

このような問題を解決するためには、品質機能展開（QFD；Quality Function Deployment）が有効です。QFDでは、品質表という二元表を用いて、要求を品質特性（製品要求）、それらを達成するための機能、ユニットへと、各段階の間にある関係を見える化しながら、情報をつないでいきます。

洗濯機のQFDを簡略化した例を図5-2に示します。要求品質-品質特性の品質表（上表）を見ると、製品使用時の温室効果ガス排出量低減のためには、品質特性（製品要求）として、「製品の電力消費量が小さいこと」、「使用水量が少ないこと」などが挙げられます。電力消費量に着目して、機能-品質特性の品質表（下表）を見ると、「洗濯槽のモータを駆動する」という機能との関係が強いことが分かります。そして、この機能の行を右に見ていくと、この機能は駆動ユニッ

トと関係が強く、筐体ユニットとも関係があることが分かります。

駆動ユニット設計担当者の視座で考えると、温室効果ガス排出量を低減するために、洗濯槽のモータ駆動時の出力を抑えることで、電力消費量を抑えれば良いことが分かります。

QFD は多様な業界の製品開発で応用されていますが、これに温室効果ガス排出量の観点を入れることで、ユニット設計者や部品設計担当者は、温室効果ガス削減のために何をすれば良いか分かるようになります。

**図 5-2 洗濯機の QFD**

| 要求品質 | 品質特性（製品要求） | | | | | |
|---|---|---|---|---|---|---|
| | 電力消費量 | 耐用年数 | 洗濯容量 | 使用水量 | 静音性 | 重量 |
| 使用時の GHG 排出量が少ない | ● | | | ▲ | | |
| 運転が静か | | | | ▲ | ○ | |
| 多くの衣服を洗濯できる | △ | | ○ | ○ | | ○ |
| メンテナンスが楽 | | △ | | | | ▲ |
| 電気代・水道代が安い | ● | | ▲ | ● | | |

| 機能 | 電力消費量 | 耐用年数 | 洗濯容量 | 使用水量 | 静音性 | 重量 | ユニット・部品：駆動ユニット | 排水ユニット | 給水ユニット | 筐体ユニット |
|---|---|---|---|---|---|---|---|---|---|---|
| 洗濯槽モータ駆動 | ○ | | △ | | | △ | ○ | | | △ |
| 振動抑制 | | △ | | | ○ | | ○ | | | |
| 摩耗抑制 | | ○ | | | △ | | △ | | | ○ |
| 給排水 | | | ○ | ○ | ▲ | | | ○ | ○ | |
| 洗濯量感知機能 | | | ● | ● | | | | | | ○ |

○：正の関係強い　●：負の関係強い
△：正の関係あり　▲：負の関係あり

さらに、この QFD を用いると、製品要求の背反関係を見出しやすくなります。

先ほどの例で、機能 - 品質特性の品質表（下表）を見ると、洗濯槽のモータ駆動時の出力を抑えるためには、洗濯容量を小さくしなければいけないことが分かります。そして、要求品質 - 品質特性の品質表（上表）から、洗濯容量を小さくしてしまうと、「多くの衣服を洗濯できること」という要求品質に影響してしまいます。

このように、温室効果ガス排出量を削減しようとすると、他のどの要求品質に影響があるか判断しやすくなり、要求品質の検討漏れを防ぎやすくなります。

図 5-3　背反関係の見える化

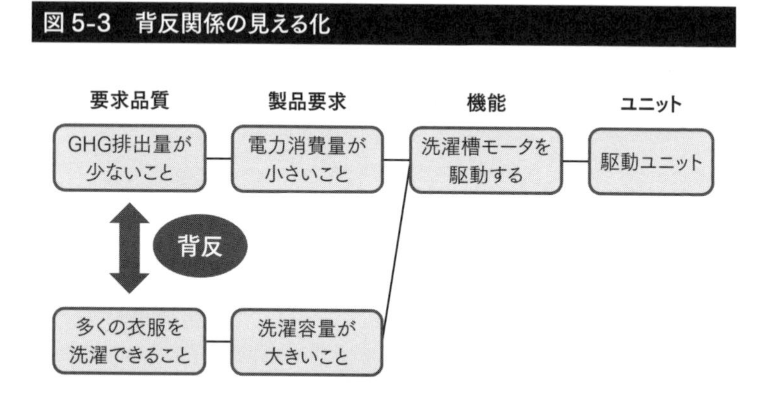


## 温室効果ガス低減の攻めどころを把握する

「ユニットや部品の生産に伴う排出量の低減優先度が分からない」といった問題解決のためには、部品重要度を定義するプロセスが有効です。これは目標原価の部品別割付けでよく行われるプロセス・手法の1つで、図5-4にも示す通り、以下の順序で行います。ここで記載している「部品」は、「ユニット」、「サブアセンブリ」などと置き換えても構いません。

1．製品要求の整理

まず製品要求を整理します。第4章で解説したように、製品に関わるステークホルダーを抽出し、ステークホルダー要求から製品要求に落とし込みます。

2．要求重要度の定義

顧客の購買意思決定時の影響の度合い、製品を成立させる上で達成が必要な度合い（人命に影響を与えるレベルの安全性の重要度を高めるなど）、事業戦略上の重要性など、一定の基準で要求重要度を定量化します。

3．部品依存度の定義

製品要求満足に寄与する度合いから、部品依存度を定義します。例えば、部品Ａは要求Ⅳ実現に大きく寄与しているため３点、要求Ⅰには少し寄与しているため１点といったつけ方をします。

4．部品重要度の定義

最後に部品重要度を定義します。これは、要求重要度×部品依存度の総和から算出します。例えば、部品Ａであれば、

要求Ⅰ：３×１＝３

要求Ⅲ：２×２＝４

要求Ⅳ：３×３＝９

となり、これらを足すと部品Ａの重要度は16になります。

このように、要求重要度から部品重要度を定義していきます。この部品重要度の比率に応じて、温室効果ガスの低減優先度を決めることで、顧客要求に基づいた優先度を設定できます。

すなわち、重要度が高い要求を実現するための部品は温室効果ガス排出量より性能や品質重視のため、低減優先度は低く、重要度が低い要求を実現するための部品は温室効果ガス排出量重視のため、低減優先度は高くなります。

**図 5-4　部品重要度の定義**

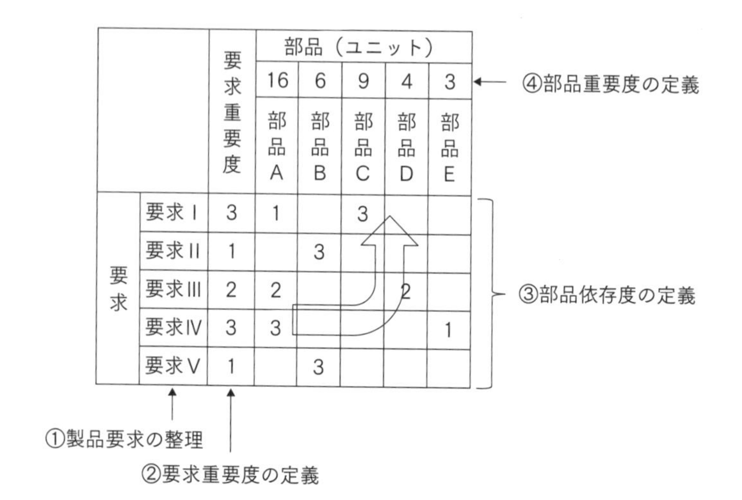


| | | 要求重要度 | 部品（ユニット） | | | | |
|---|---|---|---|---|---|---|---|
| | | | 16 | 6 | 9 | 4 | 3 |
| | | | 部品A | 部品B | 部品C | 部品D | 部品E |
| 要求 | 要求Ⅰ | 3 | 1 | | 3 | | |
| | 要求Ⅱ | 1 | | 3 | | | |
| | 要求Ⅲ | 2 | 2 | | | 2 | |
| | 要求Ⅳ | 3 | 3 | | | | 1 |
| | 要求Ⅴ | 1 | | 3 | | | |

図 5-5 は、部品の生産・輸送に伴う排出量の低減優先度を見える化した例です。

プロットは、製品を構成する各部品を示しており、縦軸は、Scope 3 カテゴリ 1「購入した製品・サービス」、Scope 3 カテゴリ 4「輸送、配送（上流）」の合計値です。この企業は、製品の組立のみを行っており、部品生産はすべて外製です。そのため、部品レベルでは、Scope 1、2 排出量はありません。

また、図内の直線は、製品としての GHG 排出量目標を、部品重要度の総和で割って導出したもので、部品別の温室効果ガス排出量目標を決める際の参考値としています。

図 5-5　温室効果ガス排出量の低減優先度見える化の事例

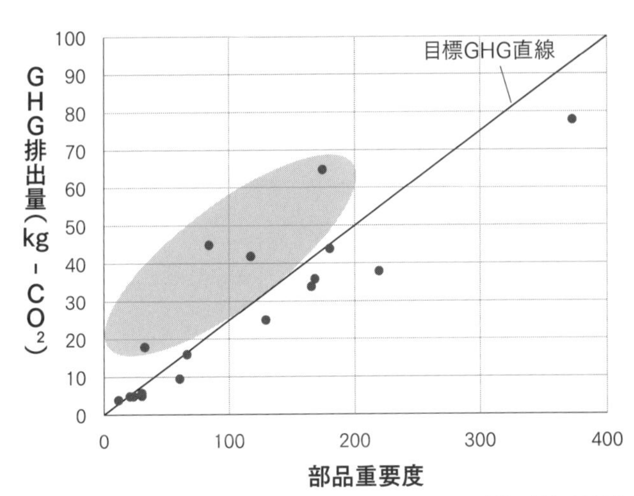


※実際の値とは異なります

グレーで囲まれた部分の4部品は、目標GHG直線より上にプロットされており、部品重要度に対して温室効果ガス排出量が大きいことが分かります。

すなわち、これを温室効果ガス排出量の低減優先度が高い部品と特定して、低減施策を効率的に検討することができるようになります。

## ティアダウンにより他社製品を分析する

自動車メーカーや家電メーカーでは、競合製品を分解・分析する「ティアダウン」が行われています。次期開発製品の品質向上やコストダウンを目的に行われることが一般的ですが、温室効果ガス排出量の削減にも有効なプロセスです。

競合製品を分解すると、良い設計ポイント、悪い設計ポイントがたくさん見えてきます。特許への抵触に注意しつつ、良い設計ポイントを次期開発製品に盛り込むことで、環境に配慮した製品を開発できる可能性が高まります。

ティアダウンを行う際は、製品を分解しながら部品構成表（BOM）を作成します。BOMの中には、部品重量、寸法、材質、溶接長、塗装面積など、設計諸元もまとめます。また、分解した後は再度製品を組み立てて、組立時間も見積もります。

次に、第3章で説明した、設計諸元ベースの排出原単位テーブルを用いて、自社で生産した際の製品カーボンフットプリントを推計します。そして、自社の既存製品との比較を行い、改良点を見出します。次期製品の開発担当者だけでなく、既存製品の開発担当者や、製造部門、調達部門、アフターサービス部門なども参加すると、より広い視野で改良点を見出すことができます。

また、他業界の製品のティアダウンも有効です。特に昨今は、多様な業界で環境配慮型製品が販売されていますので、そのような製品を分解することで、多くの気づきを得ることができます。

ティアダウンは、設計者の環境スキル向上にも役立ちます。どのような設計をすれば製品カーボンフットプリントを下げることができるのか、理解を深めることができます。

## サーキュラーエコノミー実現のためのプロセス整備

最後に、「サーキュラーエコノミー移行の際、品質管理プロセスや原価管理プロセスをどのように変えれば良いか分からない」という問題を考えます。

サーキュラーエコノミーに移行するには、まずビジネスモデルを検討し、それを成立させるための製品要求を整理することが重要です。そして、サーキュラーエコノミーを前提とした製品開発を継続的に実行していくためには、リニアエコノミーを前提とした業務プロセスを見直す必要があります。

まず、品質管理プロセスについて考えます。

リニアエコノミーでは、新品の材料、部品を使用することを前提に、品質要件、評価基準を定めれば十分でした。しかし、サーキュラーエコノミーでは、リサイクル素材や改修部品を使用することを前提に品質要件、評価基準を定める必要があります。

あまり利用されずに新品に近い状態で回収されるパーツもあれば、何年間も利用されてから回収されるパーツもあります。これらが混在して製品に組み込まれることを想定して、品質要件、評価基準を定めなければいけません。

また、回収した製品やパーツの品質を担保する必要もあります。センサを設けて製品やパーツの使用状況を把握したり、パーツのトレーサビリティを確保する仕組みを整えたりして、再利用して問題ないかどうか判断できるように製品開発を進めなければいけません。

関連部門との連携も不可欠です。リニアエコノミーでは、製品の生産、出荷までを考慮していれば十分でした。サーキュラーエコノミーでは、製品やパーツの回収、検査、再組立てといった工程が追加で発生しますので、各工程における作業性などを、開発段階で関連部門と協議する仕組みを整える必要があります。

次に原価管理プロセスについて考えます。

製品開発段階で原価を見積もる際、その年度の賃率、為替レートを用いることが一般的です。製品開発期間が長く、年度をまたいで開発を進める場合は、設計が変わっていなくても、新しい賃率や為替レートを用いて原価を計算し直します。サーキュラーエコノミーを前提とする場合は、これらに加えて改修部品活用率も考慮して原価を管理する必要があります。

例として、図5-6に示すように、部品A、部品Bの2部品で構成される製品を考えます。部品Aを新たに生産すれば30万円ですが、すでに販売した製品からパーツを回収・再利用すれば20万円で済みます。部品Bは、新品であれば40万円で済みますが、改修すれば45万円かかってしまいます。新品部品はすべてリサイクル素材を活用して生産しています。リニアエコノミーでは新たに部品を生産することだけを考慮すれば良いので、部品Aの原価は30万円、部品Bの原価は40万円と、一意に決まります。

図5-6　構成部品の例

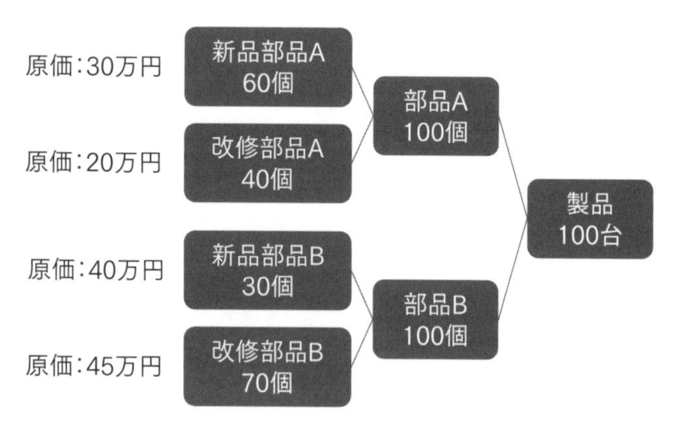


サーキュラーエコノミーを前提とする場合はいかがでしょうか。改修部品100%で構成されれば原価は一意に決まりますが、実際には

そうはいきません。サーキュラーエコノミーへの移行期や新製品販売時は、回収できる部品がないため、新品部品を使うしかありませんし、時間が経過した後は、パーツを回収しても耐久性を担保できず、リサイクルに回すしかないこともあります。そのため、図5-6に示すように、「ある年度で製品を100台生産した際、部品Aの4割が改修部品、部品Bの7割が改修部品」といったことが起こります。したがって、製品開発段階で目標製品原価を設定し、管理するためには、改修部品活用率の前提を置く必要があります。

ここでやってはいけないのは、「改修部品活用率100％」や「新品部品活用率100％」として、原価を管理することです。「改修部品活用率100％」としてしまえば、設計者は新品部品の製造コスト削減に力を入れなくなってしまいますし、「新品部品活用率100％」としてしまえば、部品改修作業で発生するコスト削減に力を入れなくなってしまうためです。

特に、これまでリニアエコノミービジネスのみを展開してきた企業の設計者にとっては、部品改修作業で発生するコストの管理・削減は新たな取り組みになりますので、事業全体としての利益を確保するために、しっかりPDCAを回すことが重要です。

また、サーキュラーエコノミーにおいては開発単位の考え方も変えなければいけません。リニアエコノミーであれば、開発製品で使用される部品や材料は、当該製品のみに使われることを前提に設計すれば十分でした。部品を他製品に流用したとしても、その範囲は限定的です。

しかし、サーキュラーエコノミーを実現するためには、開発製品で使用される部品や材料が、次機種以降でも繰り返し使用されることを想定し設計しなければいけません。そのため、市場要求の変化に強いモジュール構成、製品アーキテクチャの検討がますます重要になります。

## モジュール化を実現する

次に、モジュール化によってサーキュラーエコノミーを実現するプロセスについて解説します。モジュール化とは、あらかじめ準備した部品やユニットを流用し、組み合わせて新しい製品をつくる手段です。

モジュール化を行うことで、市場から回収した旧製品の部品を用いて新製品をつくれるようになるため、サーキュラーエコノミーを実現しやすくなり、温室効果ガスの低減が期待できます。さらには、多様なバリエーションの製品開発の効率化、在庫管理の効率化などの効果も期待できます。

モジュール化を進める際は、まず、市場の特徴や顧客要求の違いを捉えて、モジュール化による製品群がターゲットとする市場を明確にします。扇風機を例に取ると、これまで価格帯のみで細分化していた市場に対して、利用シーンなど、顧客要求に違いが見られる別の軸を加えて、さらに細分化します。市場を細分化したら、その中からターゲット市場を選択します。

図 5-7 市場の細分化

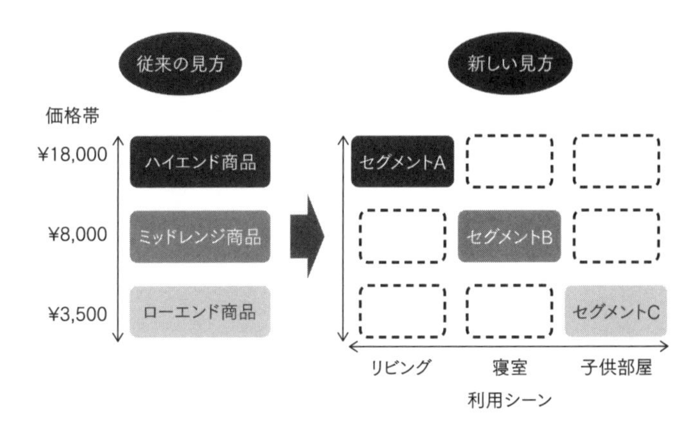


次に、製品群が満たすべき要求と、製品を構成する部品を整理し、「温室効果ガス低減の攻めどころを把握する」の項で解説したように、要求重要度、部品依存度を定義します。さらに、すべての市場を見たときに、要求の差が市場間でどれだけあるか（要求の幅）、要求が今後どれくらい変化しそうか（将来変化）を評価し、図5-8のようにマトリクスで整理します。

## 図 5-8　製品要求と部品の関係整理

| | | | | | 部品（ユニット） | | | | |
|---|---|---|---|---|---|---|---|---|---|
| | | | | | 部品 A | 部品 B | 部品 C | 部品 D | 部品 E |
| | | 重要度 | | | 16 | 6 | 9 | 4 | 3 |
| | | | 幅 | | 10 | 12 | 3 | 6 | 1 |
| | | | | 変化 | 3 | 9 | 9 | 2 | 2 |
| 要求 | 要求Ⅰ | 3 | 1 | 3 | 1 | | 3 | | |
| | 要求Ⅱ | 1 | 3 | 1 | | 3 | | | |
| | 要求Ⅲ | 2 | 3 | 1 | 2 | | | 2 | |
| | 要求Ⅳ | 3 | 1 | 2 | 3 | | | | 1 |
| | 要求Ⅴ | 1 | 1 | 2 | | 3 | | | |

製品要求と部品の関係を整理した後は、部品側に割り付けられた、重要度、要求の幅、将来変化を見ながら、モジュール方針を決めます。要求重要度が高い場合はその要求に合わせ、低い場合はどこかの要求に集約することが可能です。要求の幅が広い場合はバリエーションを考慮し、狭い場合は共通化の可能性を考慮します。将来変化が高い場合は、将来変化を予測して高性能を実現し、低い場合は今の要求に合わせてつくるという方針を採ります。この方針と部品間のインターフェースを踏まえて、モジュール単位を検討します。

モジュール単位を決めた後は、再利用するモジュールを設定します。将来変化が低い場合は、モジュール変更の可能性が低いため、再利用モジュールとして設定する優先度が高くなります。特に、要求の幅が狭い場合は、共通化により一定の数量が見込めるため、再利用率が高まり、優先度はさらに高まります。このような優先度に基づいて再利用するモジュールを設定します。再利用モジュールには、高い耐久性やトレーサビリティの確保が求められるため、それを前提に部品設計を進めなければいけません。

これらをまとめると、モジュール化方針、再利用モジュールに設定する優先度は表5-2のようになります。

最後に、モジュール間のインターフェースの方針を決定します。2つのモジュールがともに「コスト重視で共通化」の方針であれば、そのインターフェースも固定で構いません。しかし、2つのモジュールのうち、どちらかが都度開発が必要なモジュールであれば、インターフェースにも都度開発の影響が出てしまいますので、影響を抑制するためのガイドライン・ルールを設定する必要があります。

## 表 5-2　モジュール化方針と再利用モジュールに設定する優先度

| 重要度 | 要求の幅 | 将来変化 | モジュール化方針 | 再利用モジュールに設定する優先度 | |
|---|---|---|---|---|---|
| 高 | 広 | 高 | 1. 都度開発 | 低 | 将来変化が大きいため、優先度は低い |
| 高 | 広 | 低 | 2. 高性能側でバリエーションの設定 | 中 | バリエーションが設定されているため、市場からの回収量は少ない傾向だが、将来変化が少ないので再利用性が高い |
| 低 | 広 | 高 | 3. コスト重視でバリエーションの設定（＋都度開発） | 低 | 将来変化が大きいため、優先度は低い |
| 低 | 広 | 低 | 4. コスト重視でバリエーションの設定 | 中 | バリエーションが設定されているため、市場からの回収量は少ない傾向だが、将来変化が少ないので再利用性が高い |
| 高 | 狭 | 高 | 5. 高性能側で共通化（＋都度開発） | 低 | 将来変化が大きいため、優先度は低い |
| 高 | 狭 | 低 | 6. 高性能側で共通化 | 高 | 将来変化が少ないので再利用性が高く、部品共通化に伴い、市場からの回収量も多く見込める |
| 低 | 狭 | 高 | 7. コスト重視で共通化（＋都度開発） | 低 | 将来変化が大きいため、優先度は低い |
| 低 | 狭 | 低 | 8. コスト重視で共通化 | 高 | 将来変化が少ないので再利用性が高く、部品共通化に伴い、市場からの回収量も多く見込める |

# CHAPTER 6

## 組織力・人材力強化

## プロセスを遂行するのは人

整備したプロセスを遂行するのも、導入したツールを使用するのも人です。ツールをうまく活用し、プロセスを高度に遂行するためには、組織力と人材力の強化が欠かせません。ここでの人材力とは、個々人の知識、スキル、行動特性などを指し、組織文化の醸成やチームビルディングなどを通じて、個々人が組織としてまとまった力のことを組織力と呼んでいます。

戦略マップを開発したキャプランとノートンは、戦略を支援するための人的資本、組織資本の重要性を説いています。

「財務の視点」、「顧客の視点」、「内部プロセスの視点」、「学習と成長の視点」の4つの視点における因果関係を明らかにして、戦略を記述した図を戦略マップと言います。そして、「学習と成長の視点」の要素である人的資本や組織資本を高めることによって、業務管理プロセスやイノベーションプロセスが高度に遂行されます。

また、ITIDが実施している開発力調査によれば、開発プロセス実行度を高めるためには、人材力を高めることが重要であるとしています。

開発力調査とは、日本の製造業の製品開発力を把握するため、2004年度より継続的に実施しているもので、これまで240社、50,000人以上の調査を実施した結果、人材のリーダーシップ、プロフェッショナルマインド、チームワーク、リレーションシップ、コミュニケーションで構成される行動特性が優れているほど、開発プロセス実行度が高いことが分かっています。

したがって、カーボンニュートラル実現のためのプロセスを高度に遂行するためには、組織力・人材力を強化する必要があります。

## 環境意識を高める教育

人材力を強化するためには、採用システム、配置システム、評価システム、報酬システム、能力開発システムといった人事システムを連動させなければいけません。各システムの主要な課題は以下の通りです。

採用システム：どのように人材を採用するか
配置システム：人材にどのような仕事を与えるか
評価システム：組織メンバーをどのような基準で評価するか
報酬システム：評価の結果に基づいて、どのように報いるか
能力開発システム：組織メンバーの能力をどのように開発するか

まず、能力開発システムから見ていきます。能力開発では、グリーンスキル向上と環境意識向上の2つの観点で考えます。グリーンスキルとは、環境戦略やカーボンニュートラル実現戦略を実行するために必要な個々人のスキルのことで、温室効果ガス排出量の算定スキルや、排出量削減のための設計スキルなどを指します。これらのスキルは、立案された環境戦略によっても変わります。例えば、ガソリン車から電気自動車にシフトする戦略である場合は、モーター制御に関する知識や、バッテリー開発スキルなどもグリーンスキルに含まれます。環境意識はカーボンニュートラルに取り組もうとする意欲や態度などを指します。

カーボンニュートラルへの取り組みを始めたばかりの企業であれば、従業員の環境意識を高めることを優先すると良いでしょう。乾いた雑巾を絞るように製品コスト削減活動を継続してきた企業では、すでにコスト意識が高い設計者が多いと思います。また、品質不具合を出さ

ないように、QC活動を継続してきた企業では、すでに品質意識が高く、行動に表れている技術者が多いと思います。

しかし、カーボンニュートラルに関しては、取り組みを始めたばかりで、従業員の意識も低い企業が多いようです。そのため、まずは組織メンバーの環境意識を高め、行動変容を促すことが効果的です。

では、どのように従業員の環境意識を高めれば良いのでしょうか。

筆者は、これまで多くの製造業のカーボンニュートラル活動を、伴走しながら支援してきました。コンサルティング活動が一段落すると、活動に関わった従業員のほとんどの方から「カーボンニュートラルに対する意識が高まった」というコメントをいただきます。これは、多くの従業員が、これまでカーボンニュートラルに関する活動に触れる機会が少なかったことが原因と考えられます。

このことから、環境意識を高めるためには、何らかのカーボンニュートラル関連活動に関わってもらうことが有効と思われます。そして、活動のアウトプットが、さらに他従業員の環境意識向上に寄与します。

これまでご紹介したプロセスで言うならば、例えば、製品カーボンフットプリント算定手法を構築する活動を行えば、その活動に従事した従業員の意識が高まります。その活動のアウトプットとして、各製品のカーボンフットプリントが算定されれば、設計担当者にとっては、「自分が設計した製品から、〇kgの温室効果ガスが出る」ということが一目瞭然になり、自分ゴト化されます。

あるいは、シナリオ分析により、気候関連リスクの事業インパクトを評価すれば、「カーボンニュートラルに取り組まないと、将来の売上や利益が〇円減ってしまう」と分かり、経営層の環境意識が高まります。インターナルカーボンプライシングを導入すれば、「自分が投資判断した設備により、○円分の温室効果ガスが排出される」ということが明確になり、調達担当者の環境意識が高まります。

また、環境意識向上のためには、組織ビジョンやサステナビリティポリシーを共有することも大切です。「企業や各組織がどのようにカーボンニュートラルに取り組んでいくか」という組織の意思を表明し、組織メンバー全体で共有します。トップからボトムへの一方通行の表明ではなく、トップとボトム、ボトム同士での対話も行い、掲げられた組織ビジョンを各個人がかみ砕いて考えられるようになると、自律性が高まり、行動変容が起こりやすくなります。

## カーボンニュートラル実現のための グリーンリスキリング

次に環境スキルの向上について考えます。昨今、「リスキリング」というワードに注目が集まっています。リスキリングとは、事業環境の大きな変化に適応するために学び直し、新たな事業環境に求められるスキルや知識を身に付けることです。特に、グリーンスキルを習得することを「グリーンリスキリング」と呼びます。

デジタルテクノロジーの急速な進化や、サステナビリティ経営推進の加速に伴い、必要なスキルも急速に変化しており、世界経済フォーラム（WEF）は2020年のダボス会議で「2030年までに10億人のリスキリングを目指す」と宣言したことで、話題になりました。

日本では、岸田文雄首相が2022年10月の所信表明演説で、リスキリング支援として「人への投資」に5年間で1兆円を投じることを表明し、グリーン分野を含む成長分野への労働移動を促進する政策が盛り込まれました。

特に、日本の脱炭素社会移行に伴う自動車産業への影響は大きく、日本自動車工業会の豊田章男会長は、2021年3月の記者会見で「自動車の生産が、再エネ導入が進んでいる国や地域にシフトする可能性があり、自動車業界550万人のうちの70～100万人の雇用に影響が出る」と述べています。また、神戸大学経済経営研究所の濱口伸明教授によれば、「2020年工業統計調査（2019年実績）に基づいて計算した結果、パワートレイン（エンジンなどの駆動装置）の生産は約31万人の雇用を生んでいる」ことが試算されており、新車がすべてEVになれば雇用が消失する恐れがあります。

リスキリングを進める際は、まず、求められるスキルの整理から始めます。「正しく問題を把握する」プロセスで、気候関連の外部環境情報や内部環境情報を分析してから戦略を立案し、戦略実行に必要なスキル、今後不要となるスキルを整理します。

次に、組織メンバーの既存スキルや、職業志向（興味）なども考慮して、個々人が習得すべきスキルを整理します。その際、図6-1に示すようなスキルマップや、スキルデータベースを構築すると、管理しやすくなります。

最後に、教育施策を検討し、実行に移します。温室効果ガス排出量の算定に関するスキルなど、一般的なスキルであれば、外部研修も多く提供されています。また、前述したティアダウンに技術者を参加させて、環境配慮型の製品設計スキルを高めるなど、プロセスを通じた教育も有効です。リスキリングでの学習内容はより専門性が求められるものが多いため、社内外の教育コンテンツを上手に活用すると良いでしょう。

また、人材教育による内部調達が難しければ、企業外、自部署外からの人材外部調達も視野に入れます。そのためにも、「現在、どのようなスキルを持つ人材が、どの部署に、どれだけいるのか」、「将来、どのようなスキルを持つ人材が、どの部署に、どれだけ必要なのか」を整理し、ギャップを埋めるために、組織横断的に採用、配置、能力開発を行う必要があります。

**図 6-1　スキルマップのイメージ**

| スキル | | 社員 | | | | |
|---|---|---|---|---|---|---|
| 大項目 | 小項目 | A | B | C | D | E |
| ビジネススキル | ロジカルシンキング | 2 | 2 | 4 | 5 | 4 |
| | リーダーシップ | 1 | 2 | 4 | 4 | 3 |
| | ・・・ | 3 | 2 | 3 | 5 | 3 |
| EV 制御開発スキル | 要件定義 | 1 | 3 | 4 | 2 | 5 |
| | 基本設計 | 2 | 4 | 3 | 1 | 5 |
| | プログラミング | 3 | 3 | 2 | 3 | 5 |
| | ・・・ | 3 | 4 | 2 | 2 | 4 |
| 気候変動全般スキル | 製品 CFP 算定 | 1 | 1 | 2 | 4 | 3 |
| | 規制知識 | 1 | 2 | 2 | 5 | 2 |
| | ・・・ | 1 | 1 | 2 | 4 | 4 |
| ・・・ | ・・・ | 2 | 1 | 3 | 4 | 3 |

## 環境目標達成度合いと評価・報酬を連動させる

昨今は、環境目標達成度合いと評価・報酬を連動させる企業が増えています。WTW（ウイリス・タワーズワトソン）が 2022 年に実施した調査によれば、役員報酬の KPI に ESG 指標を採用している企業は、TOPIX 100 構成企業の 62％で、前年からほぼ倍増したことを発表しました。62 社のうち、55％が温室効果ガス排出量などの環境関連指標を採用しています。

日立製作所では、環境価値を勘案した役員報酬制度を2021年より導入しています。CEOを含む全執行役が、カーボンニュートラルや資源循環に関する目標設定を行い、個人目標の達成度に対する評価を受けています。

富士フイルムホールディングスでは、2023年度の温室効果ガス削減目標として2019年度比11%を掲げ、目標達成度合いに応じて、役員報酬を増減させる仕組みを導入しています。

このような評価・報酬制度を導入する目的は、経営層や従業員の意識を変革し、カーボンニュートラル実現に向けて行動変容を促すことです。そのためには、公平性、透明性、納得性のある制度でなければいけません。

例えば、事業部の温室効果ガス排出量に一律にインターナルカーボンプライシングを掛けて排出コストを算出し、これを損失として扱ってしまうと、事業特性上、排出量の多い事業部にとって不公平感が出てしまい、モチベーションを下げかねません。そのため、事業部ごとに適切な温室効果ガス削減目標を設定し、目標達成度合いに応じて評価するなど、工夫する必要があります。

また、企業目標達成のためには、カーボンニュートラル実現戦略と、事業部目標、個人目標の整合性が取れた評価制度にしなければいけません。そして、組織内で十分に説明し、納得性を高めることで、組織メンバーの行動変容を促すことができます。

## 組織体制の構築

プロセスを高度かつ効率的に遂行するためには、スキルや意識が高い個々人が、組織としてまとまり、力を最大限に発揮できることが重要です。各個人が他メンバーのことを考えずに、思い思いのことを実行してしまっては、プロセスは回るどころか、混乱に陥ってしまうでしょう。そのため、温室効果ガス排出量の管理、シナリオ分析の実施、目標の見直し、温室効果ガス削減施策の推進などの役割を明確にし、「誰が」、「いつまでに」、「何をするか」を決める必要があります。

また、カーボンニュートラルは自社内だけでなく、サプライヤーや自治体、関連団体などとの連携が不可欠です。このような多様なステークホルダーとの連携体制も整えます。昨今は同業他社との連携、大学等の研究機関との連携、別産業との連携など、多様なエコシステムを形成し、競争力を高めている企業も増えています。

以上のように、組織力と人材力を高めることで、プロセスを高度かつ効率的に遂行できるようになり、その結果、「カーボンニュートラル実現」という壮大な目標に向けた歩みを加速することができます。

# おわりに

企業の組織価値を高め、グリーンイノベーションを起こすためのフレームワークである「グリーンイノベーションコンパス」の考え方や活用方法を解説してきました。

グリーンイノベーションコンパスは、企業レベルだけではなく、事業レベル、拠点レベル、製品レベルと、様々な粒度で活用できます。カーボンニュートラルに着手し始めたばかりの企業であれば、企業レベルの粒度で活用し、企業全体の排出量算定、ロードマップ策定から進めると良いでしょう。すでにそのような取り組みがなされている企業であれば、より細かい粒度で活用し、製品カーボンフットプリントの算定、製品開発業務プロセスの改善などに取り組むことができます。このように、各レイヤーでこのフレームワークを用いることで、経営層と現場層が一体となって、カーボンニュートラル実現に取り組むことができます。

また、グリーンイノベーションコンパスを用いて、組織価値を高めることで、製品・サービスの環境価値を高めることができます。ここでいう環境価値とは、地球環境に良い製品・サービスのことです。環境価値は製品価値の１つであり、環境価値以外のあらゆる製品価値を高めても、環境価値が低ければ、今後、その製品やサービスは売れないと思われます。

そして、気候変動問題は環境問題の一部でしかありません。環境価値を高めるには、自社や社会の温室効果ガス削減に加えて、資源枯渇問題、生物多様性の確保など、様々な環境問題に対応しなくてはなりません。そのような問題解決においても、現状把握、目標設定、対策立案、実行管理というプロセスや、組織力・人材力強化、ツール整備といった下支えは必要不可欠であり、グリーンイノベーションコンパスの考え方は様々な環境問題に対して有用です。

読者の置かれた事業環境や業務内容に合わせて、グリーンイノベーションコンパスをご活用いただくことで、カーボンニュートラル実現の一助になれば幸甚です。

最後に、この出版にあたり、多大なるご支援をいただきました株式会社日本ビジネス出版の下平駿也氏、中川夏希氏に厚く御礼申し上げます。また、執筆活動に協力いただいた株式会社ITID社員に謝意を表します。

# 参考文献


■『IPCC 第 5 次評価報告書』気候変動に関する政府間パネル（IPCC）／2014 年・IPCC

■『IPCC 第 6 次評価報告書』気候変動に関する政府間パネル（IPCC）／2023 年・IPCC

■『2050 年カーボンニュートラルに伴うグリーン成長戦略』2021 年・経済産業省他

■『地域脱炭素ロードマップ - 地方からはじまる、次の時代への移行戦略 -』2021 年・内閣官房

■『環境産業の市場規模・雇用規模等の推計結果の概要について（2019 年版）』環境省／ 2021 年・環境省

■『気候変動に関する世論調査』2021 年・内閣府

■『コーポレートガバナンス・コード』2021 年・株式会社東京証券取引所

■『TCFD ガイダンス 3.0』TCFD コンソーシアム／ 2022 年・TCFD コンソーシアム

■『エネルギー白書 2021』資源エネルギー庁／ 2021 年・資源エネルギー庁

■『管理会計（第七版）』櫻井通晴／ 2019 年・同文館出版

■『サプライチェーン排出量算定の考え方』環境省／ 2017 年・環境省

■『サプライチェーンを通じた温室効果ガス排出量算定に関する基本ガイドライン（ver. 2.4）』環境省、経済産業省／ 2022 年・環境省、経済産業省

■『グリーンバリューチェーンプラットフォーム』環境省
■『Pathfinder Framework - Guidance for the Accounting and Exchange of Product Life Cycle Emissions』World Business Council for Sustainable Development
■『TCFD の提言 最終報告書』TCFD ／ 2017 年・TCFD
■『TCFD を活用した経営戦略立案のススメ ~気候関連リスク・機会を織り込むシナリオ分析実践ガイド ver.3.0~』環境省 地球温暖化対策課／ 2021 年・環境省
■『日本企業のインターナルカーボンプライシングの動向について』株式会社日興リサーチセンター／ 2022 年・日興リサーチセンター
■『LCA の実務』稲葉敦（監修）／ 2005 年・産業環境管理協会
■『環境経営・会計　第 2 版』國部克彦、伊坪徳宏、水口剛／ 2012 年・有斐閣
■『温室効果ガス削減中長期ビジョン検討会 とりまとめ』環境省／ 2015 年・環境省
■『中小規模事業者のための脱炭素経営ハンドブック - 温室効果ガス削減目標を達成するために Ver. 1 . 1 -』環境省／ 2022 年・環境省
■『イノベーションの壁』村山誠哉、大屋雄／ 2018 年・クロスメディア・パブリッシング
■『インターナルカーボンプライシング活用ガイドライン』環境省／ 2020 年・環境省
■『ライフサイクルコスティング JIS C 5750 - 3 - 3 導入と適用事例』夏目武、日本信頼性学会 LCC 研究会／ 2009 年・日科技連出版社
■『ライフサイクル・コスティング』江頭幸代／ 2008 年・税務経理協会
■『グリーンボンド及びサステナビリティ・リンク・ボンドガイドラ

イン』環境省
■『クライメート・トランジション・ファイナンスに関する基本指針』金融庁・経済産業省・環境省／2021年・金融庁・経済産業省・環境省
■『2023年度版中小企業施策利用ガイドブック』中小企業庁／2023年・中小企業庁
■『サーキュラー・エコノミー　企業がやるべきSDGs実践の書』中石和良／2020年・ポプラ社
■『サーキュラーエコノミー実践　オランダに探るビジネスモデル』安居昭博／2021年・学芸出版社
■『Prioritising low-risk and high-potential circular economy strategies for decarbonisation: A meta-analysis on consumer-oriented product-service systems』R. Koide, S. Murakami, K. Nansai Renewable and Sustainable Energy Reviews, Volume 155 (2022)
■『競争優位の戦略』M.E.ポーター著、土岐坤、中辻萬治、小野寺武夫訳／1985年・ダイヤモンド社
■『サプライチェーン$CO_2$の“見える化”のための仕組み構築に向けた検討　準備フェーズ・一次レポート』Green x Digitalコンソーシアム見える化WG／2022年・Green x Digitalコンソーシアム
■『進化する環境・CSR会計 マテリアルフローコスト会計から統合報告まで』柴田英樹、梨岡英理子／2014年・中央経済社
■『製品開発の「見える化」99』北山厚、星野雄一、矢吹豪佑／2014年・日本能率協会マネジメントセンター
■『戦略マップ　バランスト・スコアカードによる戦略策定・実行フレームワーク』ロバート・S・キャプラン、デビッド・P・ノート

ン著 櫻井通晴、伊藤和憲、長谷川恵一監訳／2014年・東洋経済新報社
■『開発力白書2020』横山英祐、荒川英俊／2019年・株式会社iTiDコンサルティング

# 索　引

## 数字・アルファベット


3060目標 …… 15
3R …… 143
BAU …… 83
BOM …… 33, 186
BOP …… 110
CAFC規制 …… 15
Catena-X …… 64
CBAM …… 123
CDP …… 81, 88, 124
CFP …… 47, 58, 172
COP21 …… 12
DR …… 33, 172
EPS …… 87
ESG投資 …… 24, 175
EU電池指令 …… 64
FA法 …… 104
Fit for 55 …… 13
FMC …… 14
FMEA …… 33
Gaia-X …… 64
GHG …… 85
GHG効率 …… 85, 166
GHGツリー …… 99
GHGプロトコル …… 41
GPIF …… 24
Green × Digitalコンソーシアム …… 65, 174
GSIA …… 24
IEA …… 122
IPCC …… 11
J-クレジット制度 …… 114
JEPIX …… 87
KJ法 …… 104
LCA …… 101
LCA規制 …… 13
LIME …… 87
LIME2 …… 176
NEV規制 …… 15
NPV …… 134
PaaS …… 142
Pathfinder Framework …… 58
PEST分析 …… 158
PI …… 134
PLM …… 33
PRI …… 24
QCDG …… 178
QFD …… 155, 179
ROI …… 133
SBTi …… 21, 82
Scope1 …… 41
Scope2 …… 41
Scope3 …… 41
SDGs …… 84
SHIFT事業 …… 103
TCFD …… 20, 67
TRIZ …… 105
WBCSD …… 58
WEF …… 199

## あ行

アップグレード……142
アナロジー発想法……105
移行リスク……68
インターナルカーボンプライシング……35, 37, 88, 119
インパクト加重会計……176
インフラ投資雇用法案……14
インプリシットプライス……128
インフレ抑制法案……14
ウォーターフォールグラフ……74
エシカル消費……19, 176
エレン・マッカーサー財団……140
エンジニアリングチェーン……58
欧州グリーンディール……13, 141
温室効果ガス……1, 10

## か行

カーボンオフセット……114
カーボンニュートラル……1, 10
開発力調査……196
活動量……48
機会……20, 66
企業平均燃費規制……15
気候関連財務情報開示タスクフォース……20, 67
気候変動に関する政府間パネル……11
共同輸配送……112
グリーンイノベーション基金……16
グリーンイノベーションコンパス……1, 33, 204
グリーンウォッシュ……31
グリーンコンシューマー……19, 175
グリーンスキル……35, 197
グリーン成長戦略……16, 173
グリーン電力証書……113
グリーン物流……111
グリーンボンド……135
グリーンリスキリング……199
グリーンロジスティクス……111
経済価値……32
ケイパビリティ……165
現状趨勢シナリオ……83
コアコンピタンス……163
工程ばらし……56
コーポレートPPA……113
国連気候変動枠組条約第21回締約国会議……12
国境炭素税……123
固定系施策……117

## さ行

サーキュラーエコノミー……35, 36, 90, 140
サービス提供方針……149
サービスとしての製品（Product as a Service; PaaS）……142
再生可能エネルギー……97, 113
削減貢献量……166
サブスクリプション……145
サプライチェーン排出量……46
参入障壁……158, 163
シェアリングエコノミー……142
事業インパクト……67, 74
事業ポートフォリオ……157
シナジー効果……157
シナリオ分析……35, 36
社会価値……32

シャドープライス……127
収益性指数法……134
循環型経済……140
循環経済ビジョン2020……141
正味現在価値法……134
新エネルギー車規制……15
スキルマップ……200
税金的回収……138
製品カーボンフットプリント……47, 58, 172, 186
製品回収形態……149
世界経済フォーラム……14, 199
責任投資原則……24
ゼロカーボンシティ……17
戦略マップ……196
組織価値……32

## た行

多角化戦略……157
脱炭素先行地域……17
脱炭素ドミノ……17
炭素国境調整措置……123
炭素税……66, 122
炭素賦課金制度……123
地域脱炭素ロードマップ……17
地球温暖化対策税……123
長期利用化の仕組み……149
懲罰的回収……138
ティアダウン……185
低炭素投資ファンド……138
デザインレビュー……33, 172
デュアルクレジット規制……15
トータルパテントアセット……27
トランジションボンド……135

## な行

ニッチ市場……163
年金積立金管理運用独立行政法人……24

## は行

排出原単位……48
排出原単位テーブル……35, 37, 55, 172
排出コスト……89, 121
排出量取引制度……119
バタフライダイアグラム……142
バッテリーパスポート……64
バリューチェーン……159
パリ協定……12
品質機能展開……155, 179
ファイブフォース分析……167
物理的リスク……68
部品構成表……186
ブルーオーシャン……163
ブレインストーミング……104
変動系施策……117
報酬……89, 130, 201
星取表……116

## ま行

マインドマップ……104
マテリアルフロー図……51
ミルクラン……112
メガトレンド……157
モーダルシフト……112
モジュール化……143, 190

## ら行

ライフサイクルROI……133
ライフサイクルアセスメント……101
ライフサイクルアセスメント規制……13
ライフサイクルコスト……118, 131

ライフサイクルリターン …………… 131
リサイクル ………………………… 65, 140
リスキリング ……………………… 199
リスク ……………………………… 66, 161
リスク分散性 ……………………… 165
リニアエコノミー ………………… 140
リマニュファクチャリング ………… 142
ロードマップ …………………… 35, 36, 79

**著者プロフィール**

## 江口正芳（えぐち・まさよし）

早稲田大学大学院 理工学研究科修了。米国公認管理会計士（USCMA）。中小企業診断士。
大手医療機器メーカーにて新製品企画・開発者として、コスト半減設計、新市場開拓、海外工場立上げなどに従事した後、ITID に参画。
「企業と地球の課題解決」を自身の使命と捉え、脱炭素経営支援、カーボンニュートラル実現に向けた業務プロセス改善、企業向け講演など、経営から現場まで、様々な業界の環境コンサルティングを実施。企業だけでなく、自治体や研究機関への支援も行っている。
他に、経営戦略策定、管理会計、製品原価管理、品質問題未然防止などのコンサルティング、セミナー講師としても活躍中。
NHK 製品開発特集番組にも出演。

# グリーンイノベーションコンパス
## ～現場視点で始める 製造業のカーボンニュートラル実践～

2023年 5月31日　初版

著　　者　江口正芳
発 行 者　白田範史
発 行 所　株式会社日本ビジネス出版
〒107-8418　東京都港区南青山3丁目13-18　313南青山
編集部 ☎03-3478-8403

印刷・製本　株式会社光邦
装　　丁　荒木香樹



ISBN 978-4-905021-04-9